U0128364

安堡　著

麗文文化事業

■ 國家圖書館出版品預行編目資料

就這麼有品　看小說Ⅱ / 安堡著. 初版. -- 高雄市：
麗文文化, 2018.12
面；　公分
ISBN 978-986-490-141-8（平裝）

1.推薦書目　2.小說

012.4　　107022466

就這麼有品　看小說 II

初版一刷・2018 年 12 月

著者　安堡
封面設計　余旻禎
發行人　楊曉祺
總編輯　蔡國彬
出版者　麗文文化事業股份有限公司
地址　80252高雄市苓雅區五福一路57號2樓之2
電話　07-2265267
傳真　07-2233073
網址　www.liwen.com.tw
電子信箱　liwen@liwen.com.tw
劃撥帳號　41423894
臺北分公司　23445新北市永和區秀朗路一段41號
電話　02-29229075
傳真　02-29220464
法律顧問　林廷隆律師
電話　02-29658212

行政院新聞局出版事業登記證局版台業字第5692號
ISBN　978-986-490-141-8（平裝）

麗文文化事業

定價：380 元

●版權所有・請勿翻印

●本書如有破損、缺頁或倒裝，請寄回更

滿懷追思

紀念 他們給我的愛

先嚴　林鶴亭先生（1904.12.31-1992.09.23）
先慈　曾玉墀女士（1905.11.25-1997.09.26）
亡妻　黃舜華老師（1948.07.19-2006.11.22）

達人的暖心良言

緣溪行，忘路之遠近，忽逢桃花林 —身心靈的導讀

張紹源
台南市副市長

南投中興新村是我公務生涯的養成之所，1988年我進入財政廳服務，安堡先生是引領我進入財政工作的啓蒙師。1995年我隨同安堡先生赴美研習，亦師亦友。之後我奉調臺南縣政府負責地方財政，蒙安堡先生經常提點，理眾人之財以「爾俸爾祿，民脂民膏」為念。接著歷經凍省，臺南升格為院轄市，廿餘年來均秉此理念，戰戰兢兢。

安堡先生在財政領域，才華洋溢，見解精闢，亦不藏私，發為言論。除在大學教授並集結成地方財政之專書，指導後進，退休後以讀書自娛，成立基金捐助偏鄉、學校圖書經費及助學金，嘉惠莘莘學子，也實踐他的理財觀「錢要花在刀口上」，不吝將個人有限的資源，用在最需要的地方。

2015年安堡先生將個人多年沉浸在中西古典文學及名著的

發想，一篇一篇的記錄，融入作者的心靈、情境，引導讀者一步一步踏入文學、小說深奧或雅緻或飄逸的殿堂，渾然而不能止。

公餘之暇我亦喜閱讀，初以涉獵中國古典文學為主，惟資質駑鈍，無以為繼。後來讀了大陸當代文學家余秋雨的作品，如《文化苦旅》、《千年一嘆》……等，像是一篇「中國歷史的導覽，中國文學的導讀」，我恍然大悟，蘇東坡原來不是〈定風波．三月七日〉所寫「回首向來蕭瑟處，歸去，也無風雨也無晴。」那麼的豁達大度，也不是〈念奴嬌．赤壁懷古〉裡「大江東去，浪濤盡，千古風流人物。」那麼的意氣風發，東坡先生被貶黃州時亦多次興起自殺之念。

大陸在1966年到1976年十年間的文化大革命也是真的，余秋雨詳細的記錄他自己遭受的迫害，之前我一直以為那是國民黨宣傳的。我現在經常閱讀古籍，也讀諾貝爾文學獎得主莫言等大陸作家的傷痕文學，漸漸能體會作者部分的時代背景及意境，饒有趣味。

近幾年我亦涉獵日本名家的翻譯作品，讀夏目漱石的《三四郎》，我就到東京大學校園去看，果然有「三四郎池」一景。讀他的另一部小說《少爺》，我也專程到四國的松山市去道後溫泉，搭「少爺」路面電車。文學作品成為我旅遊的指引，親臨其境，別有一番意境。

2018年9月秋日，安堡先生大作《就這麼有品　看小說 II》付印，是他集2015年到2018年意境的超越，看得更深、更新、更細的2.0版導讀，可藏諸名山、斯文大眾。

達人的暖心良言

感謝林大哥帶給孩子們閱讀的童夢森林

林勇成

國立高雄師範大學科學教育研究所博士

臺南市虎山實驗小學校長

長榮大學經營管理研究所兼任助理教授

臺灣生態學校教育學會理事長

七年前來到了虎山國小，每天早上都會看到一位風度翩翩的大哥，裝備齊全的騎著自行車從校門口經過，看起來就是一位體力和精神都很好的運動達人。直到有一天，這位身材和精神都很年輕的大哥來學校找榮慶主任，我才有幸認識林安堡大哥。主任告訴我，林大哥多年來都熱心捐助虎山圖書經費，不只是支持學校購買圖書，也提供獎助學金，鼓勵認真閱讀的小朋友，更難能可貴的是，已經長期協助學校很多年了。

和林大哥聊過之後，才知道這些年來，林大哥籌組的「林鶴亭先生紀念基金&黃舜華老師樂學基金」，在各地已經捐助過上百所學校、七千多冊圖書，這樣的精神與熱心，著實令人敬佩。我想起許多同學都在偏鄉服務，所以向林大哥提議，能否跟著他一起到我們台南的偏鄉學校走走，看看有沒有機會幫助更多偏鄉學校推動閱讀，想不到林大哥一口答應，就這樣展開了我與林大哥的偏鄉之旅。

林安堡大哥不只鼓勵閱讀，他也經常鼓勵我們，應該要把虎山這幾年的進步寫出來。因為這些年他看著虎山在一片少子化的嚴重衝擊下，教師團隊整合國際趨勢 ECO SCHOOL 生態學校理念發展出「虎光山色，童夢森林」特色課程，以「大自然是孩子最棒的老師」營造學校特色而深獲家長們的肯定，102學年創記錄增班，103及104學年新生均持續成長，成為臺南市唯一一所連續三年增班的小校。以及，後續的教育部教學卓越金質獎、行政院國家永續發展獎、國家環境教育獎、經理人雜誌 SUPER MVP 及轉型為實驗教育學校等等。林大哥常常鼓勵我們要把這些努力的甘苦及心得寫出來，為學校留下記錄。

林大哥不是說說而已，他以實際行動為我們示範。104年出版了《就這麼有品　看小說》，今年再接再厲完成《就這麼有品看小說》第二輯，這樣的能力與精神，實在是我們後輩應該學習的典範。所以當林大哥希望我能為這本書寫個序時，我感到相當的光榮，除了把這幾年認識林大哥的歷程稍做記錄外，也期許未來能向林大哥學習—「著書立說，以成一家之言」。

達人的暖心良言

春風化雨潤無聲　縱情書海樂忘憂

鄭淑花

台南市南區區公所人文課課長

剛到南區區公所任職，喜樹圖書館同仁跟我說圖書館的營運，有許多貴人相助，其中有位長期對圖書館出錢出力的林老師一定要認識。

同仁口中的這位林老師長期捐贈圖書給喜樹圖書館，為圖書館的臉書「遇見好書 愛上閱讀」專區寫文章，分享青少年圖書書評以及導讀。其為人風雅、文采斐然，不僅有財政管理的專業著作，在人文領域上也有長才。後來，幾次相遇，發現老師為人謙遜幽默還頗熱情，退休生活常雲遊四海，遊玩之餘，也常以詩文分享，與喜樹圖書館同仁們感情特別好，生活日常中分享著各式生活情趣。

同仁說起，在喜樹圖書館臉書成立之初，為樹立標竿特色也為推廣閱讀，嘗試著向當時長期捐贈青少年圖書的林老師邀稿，也許是因曾為師表，也許是對教育熱忱有心，他一口答應，這就開始了與喜樹圖書館特殊緣分，一同與圖書館為青少年文學教育推廣做出努力。林老師在喜樹圖書館的專欄就是【遇見好書 愛上閱讀】在102年3月推出，從此喜樹圖書館的粉絲專頁多了一分人文深度，引領更多人進入文學世界中。這個導讀專欄從第一篇起分享了老師的許多閱讀感悟與心得，也記錄了這5、6年來老師的閱讀行腳。

104年老師集結前50篇出版《就這麼有品 看小說》，獲得國內、外圖書館珍藏，導讀的內容以品德選項將小說分類，對作品、作者、背景等有精練的摘要說明，體例上還有「思與問」欄位，讓讀者閱讀後，再一次反芻作品。第一輯的出版，在台南市圖書館掀起了一陣閱讀風。相似的，《就這麼有品看小說 II》中也收錄50篇導讀，同樣以博愛包容、勇敢正直、感恩滿足、追尋實踐、寬恕放下等5個品德要項選讀了50本書。用來分類的品德要項，一定程度上傳遞老師生命重要的價值與信念引領讀者；第 II 階段的導讀，選擇了更多的耳熟能詳的經典作品，比如《蒼蠅王》、《發條橘子》、《美麗新世界》、《麥田捕手》、《長日將盡》等，讓經典的閱讀更貼近生命。

說來有些慚愧，老師的導讀，還有許多我還沒能細細閱讀。但偶而覓得較長的空閒時光，我會搭配著小說的文本，細讀老師的導讀。在參照閱讀中，發現老師的仔細與認真，不僅對作品有他閱讀後的深度剖析，連作者生平及相關書籍評論都會推敲斟酌後附上解說，讓讀者對原著作者背景評價等都能有一定程度的理解，可說是相當有質感的導讀參考書。

林老師帶著親人的大愛所成立的「林鶴亭先生紀念基金」

與「黃舜華老師樂學基金」不間斷對偏遠或稍微弱勢的學校及社教機構長期捐贈圖書，著實嘉惠了許多閱讀人口，其捐贈選書為經典人文小說類，對人格成長內化有春風化雨之效。喜樹圖書館承其厚愛接受了專書的捐贈，也在喜樹圖書館成立了一個小小的圖書專區。感念其無私的大愛，南區朱棟區長，多次想在公開的場合表揚感謝他，但老師為人謙遜，堅持不受獎。這次，我想藉著《就這麼有品　看小說II》的出版，公開對老師表達感謝，謝謝他所捐贈的圖書、謝謝他寫出的文章、謝謝他與圖書館一起推動閱讀、謝謝他對喜樹圖書館的厚愛、也謝謝他對館員們的關愛及在熙熙攘攘的人群中選擇我們成為他的好朋友，與我們一同分享他的人生閱歷。

林老師總說他現在過的是四書（買書、贈書、借書、看書）人生，但四書之外他尚有寫書一環，更增人生光彩。祝願老師在書香及遊山玩水的日子中，優雅又怡然自得的生活著。看到林老師，總想到《論語・述而》篇的一段對話：葉公問孔子於子路，子路不對。子曰：「女奚不曰：『其為人也，發憤忘食，樂以忘憂，不知老之將至云爾』」。如此，在書海中，優雅又怡然自得的人生態度，著實令人嚮往。最後也摘錄一段出現在他臉書的偈語送給大家，「修行容易遇師難，不遇明師總是閒；自作聰明空費力，盲修瞎練也徒然。」謝謝林老師的愛心與用心，讓大家閱讀經典能有所得，不至空費力「盲修瞎練」。

2018/08/21

鄙者的想望期待

流金歲月好樂讀：少小閱讀的習慣會成自然

安堡

不是早就有人說過，「少小須勤學，文章可立身」嗎？

我有幸生在一個有書本的家。家徒四壁惟有書。先父通曉日文，然而漢文卻是奮發苦學得來。酷嗜買書、讀書，也寫得一手遒勁漂亮的毛筆字。家中座常滿，那應該就是「談笑有鴻儒，往來無白丁」的景況了。託先父蔭，是街坊鄰閭口中的，書香門第。

因先父影響，我九歲接觸文字書，似懂不懂地讀過家中的藏書《三國演義》、《水滸傳》，《金銀島》、《福爾摩斯探案》、《基督山恩仇記》、《紅樓夢》、《咆哮山莊》……。我覺得，小說峰迴路轉的情節很迷人，足以讓人廢寢忘食，它誘使我一本一本地找（借或買）來讀。閱讀的熱情被點燃，閱讀就成了生活的習慣。由於先父亦勤於筆耕，目染耳濡，竟然萌起「著書立說，以成一家之言」的春秋大夢，這成了我畢生的懸念。

大家都說，青少年階段是人生的流金歲月，綠鬢朱顏，吸收力強、可塑性高。學者也說，閱讀是自我教育、提昇自己的不二法門。書本是無言的老師。書本藏著知識和智慧與真理，是寶貴的精神食糧。因此，如果能夠挪出一些時間多讀一些好書，儲備美德與力量，必定是一大好事。一旦愛上閱讀，人生從此變得豐富美麗。

不過，要閱讀也得要有書本。「林鶴亭先生紀念基金&黃舜華老師樂學基金」有感於偏鄉小校增添新圖書的迫切，陸續捐贈一三五校（次）七二五二冊，遍及台南、南投、澎湖、屏東、連江、高雄等。同時，逐月贈書台南市立圖書館計有四七六八冊，分別典藏於總館與喜樹、安平、裕文、鹽埕圖書館的「青少年專區」。這些優良讀物，涵蓋文學、科普、社會科學與自然科學等領域，打造青少年多元閱讀的機會，將來成為博雅通識之士。

圖書館是知識的寶庫、靈魂的歸宿。常去逛逛，蹓躂梭巡書架間，取下一本外觀、書名、作者吸引您的書，翻看一、二頁，哇！這就是您的最愛呢。愉快自在讀，順手寫筆記。以我而言，每讀完一本小說就在喜樹圖書館〈臉書〉的網誌【遇見好書 愛上閱讀】塗鴉一篇讀後感，如今竟有一〇一篇。拋磚引玉。盼能喚起青少年閱讀興趣，也為自己的閱讀行腳留下跫音足印。

玩遍大江南北，覽盡畫棟飛雲，有人興起寫了一本旅遊文學的書，成了遊者寶鑑；吃遍美饌佳餚，嘗盡玉液瓊漿，有人奮起寫了一本飲食文學的書，成了饕客指南。相同的道理，如果讀了很多令您目眩神馳的小說，您理當也會想要為自己與他人留下些什麼東西吧？或者，想要以何種方式向那些偉大的小說家（翻譯家）致敬呢？於是不揣淺陋，三年前結集五十篇讀後感出版了《就這麼有品 看小說》。如今您手上拿的《就這麼有品 看小說Ⅱ》，是結集了另五十篇讀後感的作品。

書海浩瀚且不斷擴張，窮盡一生也無法讀完所有。我們缺的是時間，因此必須選擇好書來讀。我嘗試建立一個經典小說書目資料庫。Google 一下：時代雜誌百大英文小說、二十世紀百大英文小說、龔固爾文學獎、布克獎和普立茲獎等，就出現一大串書目，從中挑選自己喜歡看的書，想讀啥書就讀啥書，培養出自己的閱讀品味。

書本是終生的益友良伴，閱讀是一輩子的事，我們需要閱讀才能活下去。曬草要趁太陽早。行囊裡永遠有一本書，帶著一本書去旅行。現在，我們快樂開始為自己而讀吧。

Remark：《就這麼有品 看小說》因緣際會忝列強國國家圖書館的書架上，如美國國會圖書館和中國國家圖書館。或如教育部補助彰化縣104學年度「充實縣內國中小圖書館（室）藏書量」，以及澳門大學（Universidade de Macau；University of Macau）圖書館，亦可以見到身影。

（按，此文承刊於臺南市立圖書館《樂讀誌》2018年7月號「樂讀生活」專欄。）

就這麼有品 看小說 II
Novel Reading & Doodling II

達人的暖心良言

鄙者的想望期待

一、博愛包容　*1*

二、勇敢正直 69

三、感恩滿足 133

四、追尋實踐 185

五、寬恕放下 253

附錄 307

一

博愛包容

學著喜歡現在的自己

——車輪下

書名：車輪下（*Unterm Rad*）　269 面；21 公分

著者：赫曼・赫塞（Hermann Hesse）

譯者：林倩葦、柯晏邾

遠流出版（2015.07）

> 我不是討厭上班。上班是一種特權。我不恨有錢人。我自己也立志賺大錢。
>
> ～喬治・桑德斯《十二月十日》

1946 年獲諾貝爾文學獎的赫曼・赫塞（1877-1962）生於德國符騰堡，年輕時曾經國家考試進入神學校，但渴望當個詩人，於是逃校輟學，也因試圖自殺而在精神療養院待過一些日子，17 歲時到工廠實習年餘。他的這段青澀童少的艱苦經歷，分別在《車輪下》中的漢斯與海爾訥身上清晰浮現，部分情節的描繪恰似青春反抗期時的作者本人，例如他們二人都好不容易考進神學校卻沒有完成學業，最後只好進入工廠當小學徒。不同的是，患有頭痛老毛病的漢斯卻選擇讓自己的生命就如曇花一般，匆匆謝了。赫曼・赫塞則是另闢蹊徑，勤奮地活出自己的天地，名滿天下，享年 85 歲呢！

赫曼・赫塞，幸運能走出幽谷深坳，開啟拼命寫詩、寫散文、寫小說的輝煌一生，成就文壇不朽地位。他在 19 歲發表第一首詩〈德國詩人之家〉，21 歲出版第一本著作《浪漫詩歌》。完成於 1904 年（27 歲）的《車輪下》[1] 故事內容，著墨於正值青春反抗期的主人翁漢斯在神學校就讀時的徬徨無助、晃盪掙扎，刻畫著虛榮、浮誇的價值觀是如何摧毀一個資優聰慧的男孩。這樣的故事情節似乎穿越時空，充斥了這個世界、每個年代，遠觀近看都是一場悲劇。

漢斯聰明機智，他的志向是力求上進、名列前茅、出人頭地，有名的乖乖牌。當時，除非家庭富裕，資優的平民家男孩唯一一條可走的窄路，就是「通過聯邦考試進入神學校，從那裡再進入修道院」，以後當上受人敬重欽羨的傳教士或是老師。這是一條平穩又安全的道路。故事中的漢斯就此一路行進，牽繫著他人生的是，家鄉的父親、牧師、班導師和校長寄予的厚望。但是，漢斯內心洶湧澎湃的是：「想要名列前茅，但究竟為什麼？他自己也不知道。」

不幸的是，漢斯在神學校的境遇是荊棘遠多於鮮花，苦難多過歡樂。同窗摯友海爾訥是個狂放詩人，因故遭「關禁閉」，接著又展開「逃跑計畫」，其間漢斯為自己的背叛感到痛苦與後悔，繼則失去老師對他的最後一絲好感。從此，成績直直落，身體病痛亦更加劇，不得不中斷學業返回家鄉。

教務長一再告誡：「千萬不可鬆懈下來，否則會掉到車輪底下的。」言猶在耳，但漢斯已然掉到車輪底下。

當初考取神學校，就表示漢斯已遠遠超越其他人，將進入一個令人羨慕、更崇高的世界，然而如今功名利祿皆成泡影。返鄉之後，去當一名小學徒又比所有同學起步晚，漢斯怕遭訕笑，心情沉重。憂心如何面對失望的父親、昔日的校長與老師、街坊的牧師與鞋匠？漢斯感覺到，所有的一切就只剩下黑暗和恐懼。

《車輪下》說：「沒有人想到，讓這個脆弱的心靈陷入這種境地的凶手，正是學校和父親以及老師的野蠻虛榮心。」這可以說是對教育體制和為人父、為人師的嚴正又沉痛控訴，令人不得不嚴肅面對。漢斯無能走出困境，深陷自己於泥淖脫身不得，他不像真實世界的赫曼・赫塞，靠著閱讀和寫作幸運地開闢出一個嶄新亮麗的世界。漢斯的殘局，叫人心中盪起一陣淒涼悲傷，為他感到萬般難過惋惜。的確，這是一樁悲劇。

赫曼・赫塞借這部小說揭露了當時德國教育制度的缺陷和人性的偏執，全書瀰漫著悲觀主義的色彩。如今讀起來，我們仍然膽顫心寒，因為會犯下同樣的錯誤。發生在漢斯身上的，也可能發生在任何人身上，當然包括您我在內。然而，這一面永恆的鏡子可以照出現實人性的偏執，「野蠻虛榮心」何時可以被馴服？

著名的阿根廷籍作家波赫士（Jorge Luis Borges, 1899-1986）曾說，赫曼．赫塞也像很多青年那樣，重複「哈姆雷特充滿疑問的獨白」，他的作品中很大一部分是所謂的「教育小說」，中心思想大多是性格的養成[2]。如《德米安　徬徨少年時》、《荒野之狼》[3]亦是其中之例。

我讀我見

在絕望中找到希望。

一、布萊恩・葛瑟《好奇心》[4]鼓勵人人保有好奇心，多問問題，它能給您勇氣戰勝恐懼，避免因循舊章進而創造新局，增加自信成為更好的人。「別人就是我的一面鏡子」，我們雖處在同一時空，卻是各自思索著許多南轅北轍的東西，即使親如父子、夫婦、師生，必也得透過交往互動才能映照出自己的真正容顏相貌。而當彼此水乳交融時，便能走進並理解對方的世界，也可以消弭憾事與悲劇的發生。

二、「萬般皆下品，唯有讀書高」，讀書升學是唯一的道路，分數代表一切，此一傳統的價值觀迄今仍然牢牢羈絆著世俗的人，它是活著的唯一動力，人生成功的指標。尼古拉・果戈里《外套》[5]描述小人物阿卡基，他縮衣節食買來的新外套被搶走了，因為那件新外套是他的全部願望之所寄，美夢破碎，由是一股絕望徹底摧毀了一直活在自己的想像中世界的他，抑鬱以終。這是否顯現傳統的價值觀就如阿卡基的「外套」一樣，人被制約而陷入荒謬可笑的困境？

【延伸好讀】尼古拉・果戈里（Nikolai Gogol），《外套與彼得堡故事：果戈里經典小說新譯》，何瑄譯，櫻桃園文化出版，304面，21公分（2015.02）。

注釋

1.《車輪下》在1906年才正式出版，為赫曼・赫塞的第二部長篇小說。赫曼・赫塞出生於德國，但在1912年定居瑞士，於1923年加入瑞士籍，1926年在瑞士辭世。赫曼・赫塞，或譯赫爾曼・黑塞，其生平與作品，詳見《維基百科》〈赫爾曼・黑塞〉。

2.引自波赫士，《波赫士的魔幻圖書館》，王永年等譯，臺灣商務出版（2016.12）。

3.赫曼・赫塞《德米安 徬徨少年時》，丁君君、謝瑩瑩譯，漫遊者文化出版（2015.09）。赫曼・赫塞，《荒野之狼》，闕旭玲譯，商周出版（2017.08）。

4.參見布萊恩・葛瑟（Brian Grazer）等，《好奇心》，李宜懃譯，商周出版（2015.08）。布萊恩・葛瑟是奧斯卡金像獎製作人，此書的用意在於鼓勵每個人「走出自身經驗的框架去學習、成長」。他訪問了形形色色的菁英之士，以一些故事為例證，說明好奇心能夠「開拓一個人的格局與視野，深化生命內涵，在職場管理、人際關係各方面改變你的人生」。鼓勵更多人擁抱好奇心，透過「發問」的過程去學習、創造、管理與領導。此書的副標題：「生命不在於找答案，而是問問題」，已點明人人需要存著好奇，並勇於發問。

5.尼古拉・果戈里（Nikolai Gogol），《外套與彼得堡故事：果戈里經典小說新譯》，何瑄譯，櫻桃園文化出版（2015.02）。尼古拉・果戈里（1809-1852），俄國現實主義文學的奠基人之一，影響深遠。此書收錄〈涅瓦大道〉、〈鼻子〉、〈狂人日記〉、〈外套〉、〈畫像〉五篇短篇小說，描述生活在彼得堡的小人物夢想與現實的衝突，小人物不幸的結尾替故事帶來淚水、帶來高潮，但也引發讀者深沉的反思。

02 勿忘初衷

——動物農莊

書名：動物農莊（*Animal Farm*）　165面；21公分

著者：喬治・歐威爾（George Orwell）

譯者：李宗遠

好讀出版（2014.03）

> 人　永不止息的頭腦希望改變，但改變不一定帶來進步。
>
> ～克里斯多福・威廉斯《形式的起源》

名列二十世紀百大經典小說之一的《動物農莊》，寫成於1944年，因涉及意識型態爭議，在英國遭到善體上意和風向的四家出版社拒絕[1]，拖到翌年才得以面世，旋即獲得如潮好評。作者喬治・歐威爾（1903-1950）的另一知名傳世政治諷喻小說《一九八四》在1949年出版，時當英美與蘇聯政治對抗的冷戰時代（1947-1991），就沒遭到類似阻擾，不過在其他一些國家曾有過被列為禁書的記錄。

喬治・歐威爾（筆名），本名埃里克・亞瑟・布萊爾（Eric Arthur Blair），英國左派作家，新聞記者和社會評論家。他的經典作品影響不僅及於文學界，更有進者，由他的名字衍生出的「歐威爾主義」、「歐威爾式的」等新詞，也已成為日常通用語彙[2]。西方學者常用此字（Orwellian）代表極權國家，鋪天蓋地的思想控制、政治壓迫與奴役制度。最近的一個著例，如在2018年5月5日美國白宮發言人回應：「中國要求美國航空公司不得將臺灣標註為國家，根本就是『歐威爾式胡言亂語』（Orwellian nonsense）。」由此可見，歐威爾和其作品的巨大影響了。

表面上看，《動物農莊》就是一則擬人化的寓言故事，然而它被歸類為政治諷喻小說。大眾解讀，它是以1917年俄國十月革命（又稱列寧革命或布爾什維克革命）到蘇聯1940年代這段歷史為藍本，而故事中出現的角色也都可以找到相對應的真實人物[3]。閱讀者認為作者係以帶有譏諷風格的比喻，不正面直言、借詞託意，技巧地將反蘇聯社會主義的涵義隱藏在故事中，而達到譴責批判的目的。這種可以就文本做出不同的解釋的文學創作手法，作者的苦心孤詣的確是令人難望其背了。

書中的各種動物一如人類，有名字、肯思考、能說話、會行動。狠批人類一無是處，但卻是他（牠）們的主宰。故事一開始，夜晚，梅諾農莊的瓊斯先生醉醺醺地睡著了。在大穀倉的一個角落馬上就來了一場非法聚會，豬、狗，馬、牛、羊、貓都到了，靜待精神領袖梅傑老豬的開示。他在講詞中強調，人類是剝削者，不尊重基本權利，造成所有動物的不幸，如果要變得富有且自主就是要造反，敵人就是全體人類！而且他也教唱〈英格蘭的獸族〉以振奮人心。「四條腿好，兩條腿壞」，一場公民不服從、要當家做主、革命起義的好戲於焉上演。

「豬普遍被認為是最聰明的動物」，在三豚組拿破崙、雪球和阿尖等三人的策畫領導下，革命是成功了，瓊斯被驅逐出莊，莊名也改稱動物農莊。接著在一次權力鬥爭中，雪球失勢逃亡，拿破崙就此坐穩領袖位子。他們訂定法律〈七誡〉[4]。成立狗衛隊，他們是拿破崙在動物農莊實施暴力統治的工具。日子一久，豬類自成一特權階層，享受特殊待遇，日夜笙歌不輟、杯觥交錯，其他動物卻仍過著苦哈哈的日子。

後來，令人訝異的是，眾豬修改原來的存在方式、改變既有的價值秩序。「四條腿好，兩條腿更好」、眾豬學起人類以後腿站立走路、動物農莊改回稱梅諾農莊、七誡只餘一誡：「所有的動物一律平等，但是某些動物比其他動物更加平等」。眾豬依著自己的盤算行事，故事到最後，其他的動物已經無法分辨究竟哪個是人，哪個是豬了。於是，我們好奇地要問，「豬是人」這又傳遞著什麼訊息呢？

如果，將《動物農莊》當做是一本政治預言小說，亦無不可。它很神奇地預言將來政治場域會發生的事情。例如，眾豬成了高高在上的領導菁英階層後，就忘了初衷，接續登場的醜陋行徑是：吃香喝辣、造神運動、政策髮夾彎、階級對立，……；豢養狗衛隊，成為他們指使的鷹犬，專門暴力攻擊威嚇異議者。再如，三豚組之一的阿尖則是扮演化粧師，天天為領袖搽脂抹粉，巧言令色地說著與事實不符、顛倒黑白的美麗謊言來欺騙大眾。這一些情景發生存在當下，對我們而言，一點也不陌生。原本是用來諷刺蘇聯史達林時代的小說，如今亦也成了當前政壇的一面照妖鏡，照盡政客百般醜態。

僅165頁（含作者的話：〈論出版的自由〉一文）的書，卻蘊含閃耀真理光輝的故事，一部名垂青史萬世流芳的小說！

我讀我見

等待風起。

一、這本政治諷喻小說，讓我們看到政治離不了權力鬥爭。然而最值得思考的是，受治者是否享受到公共利益的服務並且過著和諧快樂的生活，抑或這僅是幻想？《政府是人民的主人還是僕人？：探討政治的哲學之 路》第一章〈政治哲學導論〉提到：「政治職務不是獎賞，也不是有利可圖的位置，而是義務與責任。」、「公民會表現某種程度的冷漠，……，將給政治人物過多空間，……，也違背政治是實踐公共普遍利益的概念。[5]」台上的人不要因為得意忘形以致背棄純真初衷，台下的人要有「我們已經置身事內」而非是局外人的體悟。

二、有趣的是，人類在文本中一起始就被豬嗆：「消耗資源，毫無貢獻的生物。……。力量不足拉犁，速度不如兔子。」無獨有偶，強納森・史威夫特（Jonathan Swift, 1667-1745）《格列佛遊記》（1726）中，小小的格列佛遭到巨人們質疑：「跑不快、不會爬樹、不會挖洞，無法逃脫敵人攻擊，是大自然的瑕疵品。」既是如此，腳慢手鈍的人類是靠著什麼本領，在「物競天擇，優勝劣敗」的叢林存活下來的呢？

【延伸好讀】侯貝（Blanche Robert）等，《政府是人民的主人還是僕人？：探討政治的哲學之路》，廖健苡譯，大家出版，133面；25公分（2016.05）。

注釋

1.當時英國的政治氛圍是，不樂見批評蘇聯最高領導人史達林（1878-1953）和針砭俄國政府。但是，政治諷喻小說《動物農莊》就是針對史達林的批判譴責。見文本中的〈論出版的自由〉。

2.構思於 1948 年的《一九八四》是喬治・歐威爾最具影響力的反烏托邦小說，著名的「老大哥」（Big Brother）一詞就是出自此書。此後，英文裡也多了「歐威爾式」（Orwellian）一字，足見其影響力之大。詳見約翰・薩德蘭（John Sutherland）《文學的 40 堂公開課：從神話到當代暢銷書，文學如何影響我們、帶領我們理解這個世界》。另見《維基百科》〈喬治・歐威爾〉。

3.詳見《維基百科》〈動物農莊〉。例如，梅傑老豬影射馬克思和列寧、拿破崙影射史達林、雪球影射托洛茨基、瓊斯先生影射俄羅斯沙皇尼古拉二世。至如，〈英格蘭獸族〉、〈七誡〉和故事情節亦皆各有影射與對應的歷史現實。

4.從人類的角度看，帶有敵意的七誡是很嚴苛的，茲錄如下：一、凡是靠兩隻腳走路的，就是敵人。二、凡是用四條腿走路或翅膀行動的，就是盟友。三、任何動物都不該穿著衣褲。四、任何動物都不該睡在床上。五、任何動物都不該喝酒。六、任何動物都無權奪取其他動物的生命。七、所有的動物一律平等。在這，它是影射〈共產黨宣言〉。

5.侯貝（Blanche Robert）等，《政府是人民的主人還是僕人？：探討政治的哲學之路》，廖健苡譯，大家出版（2016.05）。這是法國高中生的哲學讀本，文內引用諸多先賢大哲的讜言宏論並加申述，亦提出問題思考、哲學練習，很值得靜下來一讀的哲學入門書籍。

了解對方才能保護自己

——溫柔之歌

書名：溫柔之歌（*Chanson Douce*） 255 面；21 公分

著者：蕾拉・司利馬尼（Leïla Slimani）

譯者：黃琪雯

木馬文化出版（2017.11）

詩和小說，向來就是孤獨者的兩大避難所。書本取代了經驗，等於是讀萬卷書勝行萬里路。

～約翰・符傲思《法國中尉的女人》

美國哲學家、建築師與發明家富勒（R. B. Fuller, 1895-1983）似乎把生活看成是一種極其可怕的受罪苦役，他曾說：「我們哭叫著降生，痛苦地生活，失望地死去。」《溫柔之歌》就是這麼一部具悲劇性，會嚇壞天下的父母親的小說。這起故事的要角保母路易絲，一生坎坷，急於尋找棲身之地而不可得。無處可去。既然推不倒憂鬱的高牆，只有走上黃泉路，更教人難以置信的是，她竟然找上兩個無辜年幼的孩子陪葬。

作者說，這一故事的靈感來自她在報紙上看到，2012年發生在美國紐約的一個家庭的刑事案件，相當震撼。由於作者細膩書寫的情境我們很熟悉，這讓讀者有感同身受的悲傷哀痛，而且彷彿也聽見雪崩地裂的轟隆巨響。因為，它是那麼的貼近社會現實，令身為父母的如臨深淵，寅憂夕惕了。

人人都想要有選擇的自由，但是往往選擇錯了。當保羅與米麗安經過精挑細選，擇定風評甚好、識者讚譽的保母路易絲來照顧幼小的蜜拉與亞當，萬萬沒想到這就是埋下禍根的起始時刻。於是，罪惡之苗暗中滋蔓，終不可收拾。「家庭是父親的王國，母親的世界，兒童的樂園。[1]」這個家，因著路易絲踏進來之後，不再是樂園，卻是日漸傾頹，崩倒了。

大家都想統治這個世界，於是不斷地攻城掠地，想找到自己的位置。得遂所願者，歡欣鼓舞；失去位置者，鋌而走險。在故事中，米麗安花了太多時間在律師的工作上，也獲得亮眼的成就，自我實現的滿足，使她覺得這個世界太美好了。尤其自認找到了一個好保母，成為家中不可或缺的一分子，保母已經深深嵌入他們的生活。雖然保羅說過：「她是我們的員工，不是我們的朋友。」

至於路易絲，她一向工作認真賣力，堅信這個世界上，沒有人能夠比她把這兩個孩子保護得更好。但是，她自己很孤單窮困，畏畏縮縮、不舒適地活著，從沒擁有過自己的房間，有太多的事情憋在心裡沒辦法說出口，「想吶喊狂呼，想痛哭失聲卻吞下來了」，絕望無助的她沒淌下一滴淚水。痛苦折磨著路易絲疲憊的身軀與靈魂。最後，她崩潰了，滿腔的憤慨怒火引燃同歸於盡的炸彈。

身為父母者害怕恐懼的是，他們白天不在孩子身邊時，沒人監督管理的保母到底對孩子做了什麼？道德危機（Moral Hazard）的存在與出現，讓人可以完全信賴保母嗎？因此，米麗安在觀察路易絲與孩子的相處後，曾感慨地對自己說：「只有當彼此不再互相需要，當我們可以過自己的人生，過一個與他人無干、完全屬於自己的人生，而讓我們因此獲得了自由時，我們才會擁有真正的幸福。」由此看來，米麗安真正想過的是「彼此不再互相需要」的日子，如果有可能，她不要仰賴或依附別人過活。善哉斯言！

我們不也都是彼此的囚犯，被關在對方構築的無形牢籠裡？

微妙的僱傭關係、保母與孩子的互動的描述，是故事中的重心與精彩。隱約呈現的諸多小小事端，似乎在暗示這就是悲劇的肇因。作者低沉婉轉地敘說這一些微小「線索」，供讀者自己去爬梳罪惡的蹤跡。「有什麼東西已經死了，那絕對不只是青春或者是無憂無慮。」路易絲她究竟有什麼難以釋懷的冤屈難受呢？為什麼路易絲會從壁櫥拿出陶瓷刀殺了孩子？這起「那個保母！她殺了孩子！」事件的背後藏了什麼社會問題？路易絲的內心黑暗世界有人了解嗎？

文本起首就說：「寶寶死了。」悲慘的結局。令人震撼懸疑飲泣。溫柔之歌，此後唱給誰聽？溫柔之歌，於今絕矣！

「一首媽媽從前唱給我聽的溫柔之歌，現在我要唱給你聽。我的小寶貝，為你一直到我生命的盡頭。」

摩洛哥裔的法國新銳小說家蕾拉・司利馬尼（1981- ），以這部充滿社會性、警惕性，內容極具勸化力量的小說《溫柔之歌》，為她贏得2016年法國龔固爾文學獎（Prix Goncourt）[2]等獎項。《溫柔之歌》是她的第二部小說，它擁有很棒的書評。有謂「這是一本閱讀窒息的書」、「這是一部偉大的小說」[3]。蕾拉曾獲邀出席2018年（2/6-2/11）臺北國際書展。

我讀我見

連我都不瞭解自己。

一、路易絲似乎是一個向外界追求自己幸福的人，認為繼續留在米麗安家當保母，是形隻影單的她這一生唯一最好的依託，然而天不從人願。誠如蒙田（Michel de Montaigne）：「我們的生命受到自然的厚賜，它是優越無比的，如果我們覺得不堪生之重壓或是白白虛度此生，只能怪自己。[4]」又如俗話所說：「靠山山會倒，靠人人會跑，只有靠自己最好。」人生本來就是一個奮鬥的過程，也沒有不勞而獲的，人唯有靠自己，保有正面情緒，不要憎恨自己和輕視自己。試著往前走。要有勇氣獨自活著，而且快樂的活著。

二、職場與家庭孰重？孩子會是母親的事業成就與自由的絆腳石嗎？魚與熊掌不可兼得，或許很多人選擇留在家庭，但也有不少人投身職場。後者，其年幼子女的照顧勢必假手他人，若所託非人，則是後患無窮。不過，不管怎樣，父母總是疑慮著：「他們不在孩子身邊時，保母（或是其他的人）到底對孩子做了什麼？」不是嗎？

【延伸好讀】吳光遠，《讀懂蒙田》，海鴿文化出版，243面；21公分（2017.02 增訂二版）。

注釋

1.引自《維基百科》〈愛默生〉。

2.龔固爾文學獎或龔固爾獎（Prix Goncourt）是法國最重要的文學獎，它是根據十九世紀法國作家龔固爾兄弟遺囑設立的，獎勵當年深具創意的作品。1903 年開始評選頒發。頒獎訂在每年的 11 月，獎金雖然不多（象徵性獲得 10 歐元，約 12 美元或 350 元臺幣），但獲獎者的作品保證暢銷，所以這個獎項非常受關注。詳見《維基百科》〈龔固爾文學獎〉。

3.見《Wikipedia》〈Chanson Douce〉。

4.引自吳光遠，《讀懂蒙田》，海鴿文化出版（2017.02 增訂二版）。蒙田（Michel de Montaigne, 1533-1592）是北方文藝復興指標性的法國哲學家，以《隨筆集》三卷留傳後世，在西方文學史上占有重要地位，青史不朽。美國文學家愛默生（R. W. Emerson, 1803-1882）在日記中提到《隨筆集》：「剖開這些字，會有血流出來；那是有血管的活體。」德國哲學家尼采（F. W. Nietzsche, 1844-1900）談到蒙田：「世人對生活的熱情，由於這樣一個人的寫作而大大提高了。」見《維基百科》〈蒙田〉。《讀懂蒙田》一書，旨在有系統地介紹解讀蒙田的著作和思想－生活的哲學，其內容分為十章，包含蒙田生平與作品，以及論生命、情感等等。意涵深遠生動，文字流暢活潑，貼近生活且毫無晦澀之感，是研究蒙田思想的入門書。

文明孩子們的野蠻遊戲

——蒼蠅王

書名：蒼蠅王（*Lord of the Flies*） 287 面；21 公分

著者：威廉・高汀（William Golding）

譯者：龔志成

高寶國際出版（2011.07）

> 我們將會變得像這裡的蒼蠅和老鼠一樣目光短淺，只看得見並明白我們貧乏天性所容許我們看見和明白的事情。
>
> ～唐・德里羅《最終點》

英國小說家與詩人威廉・高汀（1911-1993）於1983年獲得諾貝爾文學獎，1954年面世的《蒼蠅王》是其代表作，當年曾遭到21家出版社拒絕。如今，卻是英美大中學校文學課程的必讀經典小說。高汀被稱許為英國50位最偉大的作家之一，《蒼蠅王》亦榮列二十世紀百大英文小說（Modern Library 100 Best Novels）與時代雜誌百英文大小說（The All-TIME 100 Greatest Novels）之一[1]。

《蒼蠅王》這部寓言體裁的故事，蘊含有道德教育與警戒世人的意味。它告訴我們人性並非全然是溫良恭儉讓的，因人性的黑暗，原本純淨的童心也早已泯滅，我們都變成是野蠻人。動輒刀槍相向，奪人性命，搶人財物。作者描繪一群因飛機失事困於孤島的男孩子（英國公學校的學生），在一個大人也沒有的情況下，模仿成人世界嘗試建立一個自以為是的民主文明社會。但理念想法不同，不忘胸中畛域。小孩子自己本身已然就是惡魔的化身。終於走上分裂對立，凶殘取代和諧，樂園變成屠場。

最末，兩個孩子命喪黃泉，島嶼黑煙翻滾林木燒成焦炭，宛如歷經一場不堪回首的浩劫。小說尾聲，一路遭到追殺，狼狽又骯髒不堪的拉爾夫－故事的中主人公，得救於突然出現的英國海軍軍官，一場小孩子們個體權益與集體利益的衝突所帶來的野蠻殺戮，亦也戛然而止。只不過這位軍官對於同類相殘，深感失望，他以為他們的表現應該是像小說《珊瑚島》[2]所書寫的那般美好才是。

故事的主軸，在於傑克挑戰拉爾夫的領導權威，不能患難與共還鬧起內訌，因為你和我不同掛，遂令美麗豐足的孤島變成了殺戮戰場。拉爾夫主張在山頂上升起狼煙比獵殺野豬重要，希望有一天能讓過往的船隻發現而獲救，回到家鄉，重返文明社會，他是良善理性的，期待秩序和平。反之，傑克一心要打獵吃肉遊玩，貪戀權勢，只顧現在的享樂，樂不思蜀，他是醜陋反智的，酷嗜暴力破壞。可以說，這是一場「期待未來」與「享樂現在」壁壘分明的戰爭，「未來」是飄忽難以預知掌控，「現在」則是穩定可以即時享有。

因而，在意志擋不住威脅、利誘摧毀了道義的情況之下，拉爾夫陣營的小孩子愈來愈少，當小豬被殺後就只剩下他自己一個人孤軍奮戰。傑克焚燒山林，欲逼迫拉爾夫現身，再予致命一擊，沒想到卻因黑煙直竄雲空，引來了一艘英國的巡洋艦。在此不禁要問，作者安排一艘英國的巡洋艦而不是一般的商船或客輪出現，是否意味著帝國主義霸權的擴張呢？戰爭不僅存在孩童世界，更也存在大人世界嗎？

「蒼蠅王」源自「巴力西卜」（Beelzebub 或 Beel-Zebub），又譯為「別西卜」，在希伯來語是惡心、醜惡、邪惡的代名詞[3]。小說以《蒼蠅王》為名，隱喻「獸性戰勝人性」的道德主題。最令人鄙夷不齒的就是人類本身。在故事中，西蒙為了尋找怪獸、探訪真相，無意中看到插在木棒上淌著鮮血、齜牙咧嘴的豬頭，上面有黑壓壓一團的黑色蒼蠅，這是傑克要獻給怪獸的供品。「插在木棒上的蒼蠅王則對著他露齒而笑」，蒼蠅王就此露臉登場了。陷入幻境的西蒙是唯一跟蒼蠅王有過「交談」的人，在此，蒼蠅王擬人化了。西蒙像是先知，第一個確認根本沒有怪獸，而大家口中的怪獸實際上是一個飛行員的死屍，同時他以為如果真的有怪獸，那麼怪獸就是我們自己，我們恐懼害怕的是人自己。他決定「必須盡快把這個消息告訴大家」，沒想到卻一腳踏上不歸路，遭到傑克陣營的人亂棒打死。有人說是誤殺，但拉爾夫說，是謀殺，展現勇氣智慧的他成了捨身成仁的先知烈士。

這部小說中的要角，除了拉爾夫之外，其餘如傑克、小豬、西蒙和羅傑等人，皆賦予鮮明的個性特質，彼此映襯衝突，彰顯人心褊狹險惡。對立與野蠻。再如，以借喻或隱喻的手法，將海螺（指涉文明、規矩、民主與秩序）、怪獸（對未知虛無的恐懼）與蒼蠅王（醜惡的同義詞）的象徵意義演繹得精確生動，教人留下深刻的印記。作者暗喻取譬，象徵轉化，意旨深遠，值得我們細細品味咀嚼的一本小說。

此外，此一部小說全都是男性角色，也是很特別。根據報導，好萊塢有人正籌畫改編《蒼蠅王》拍成電影，出乎大家意料之外的是，這將是一部女版的《蒼蠅王》電影，全部角色都是女性，此一徹底顛覆翻轉的手法，引來廣大關注議論。主事者之一說，「啟用女孩，或許可幫助人們以全新的眼光看待這個故事。」也有人說，「翻轉性別動力（gender dynamics）將帶來一個全然不同的故事。」不過，有關小說中性別的問題，威廉・高汀早就被問起。他說，部分是因他是男孩，這和兩性平等完全無關，「你無法找來一群女孩，然後這麼說吧，把她們壓縮成一組女孩，讓她們成為文明或社會的某種形象。[4]」這一部女版的《蒼蠅王》電影將來會拍成個啥樣子？且讓我們拭目以待吧！只是，威廉・高汀如若地下有知，吾人相信他絕對會跑出來大聲反對的。

我讀我見

帶著絕望的好感。

一、大衛・伊葛門（David Eagleman）：「如果你沒有真正把人視為人，那麼保留給人的道德準則就發揮不出來。[5]」在小說中，我們看到因著「自己人」與「圈外人」的劃分，導致缺乏同理心以及去人性化（把人當成像似物品的），演成相殘屠殺，其關鍵就在人腦彼此之間的交互作用失衡。人類該如何去追求和平光明的未來？就是洗盡滌除心中之惡魔，把人視為人對待吧。

二、在現實境況中，我們似乎經常見到「理念不合，另起爐灶，趕盡殺絕」，彼此傷害的例子。「畢竟我們不是野蠻人」，這句話猶如暮鼓晨鐘，喚醒我們「君子無所爭，必也射乎！揖讓而升下而飲，其爭也君子。[6]」有教養的人絕不能以利害義，如若小說中的傑克，盜搶殺戮的粗暴行徑，誠然不足為訓。我們不該是文明世界中的野蠻人。

【延伸好讀】伊葛門（David Eagleman），《大腦解密手冊：誰在做決策、現實是什麼、為何沒有人是孤島、科技將如何改變大腦的未來》，徐仕美譯，遠見天下文化出版，238面；21公分（2016.12）。

注釋

1.參見《維基百科》〈20世紀百大英文小說〉與〈時代雜誌百大英文小說〉。

2.落難孤島的小孩子們都希望在島上等待救援的時候，過著像《金銀島》、《小水手探險記》、《珊瑚島》故事書中寫的，大家同心協力、運用機智，戰勝外界的挑戰，回到家鄉。此處提及的《珊瑚島》（*Coral Island*）作者為貝冷汀（R. M. Ballantyne, 1825-1894），中譯本收錄於王雲五、徐應昶編《小學生文庫》第1集。另有一本亦譯為《珊瑚島》（*The Cay*）作者為西奧多・泰勒（Theodore Taylor），曾倚華譯，高寶國際出版（2016.12）。以上這些小說的情節、筆調，都是充滿正向勵志光明希望。

3.見《維基百科》〈巴力西卜〉。

4.詳見 Daniel Victor，〈小說《蒼蠅王》重拍變身女版〉，王麗娟譯，聯合報（紐約時報賞析 D4，2017.10.01）。

5.伊葛門，《大腦解密手冊：誰在做決策、現實是什麼、為何沒有人是孤島、科技將如何改變大腦的未來》，徐仕美譯，遠見天下文化出版（2016.12）。人類與其他動物相比，人腦在出生時通常是「半成品」，日後，周遭環境時時刻刻、一步一步雕琢人腦，塑造我們成為各式各樣的人。這本書讓我們瞭解自己並非固定不動而是隨時在改變。

6.出自《論語・八佾・第三》。君子之爭，禮讓和氣且堂堂正正，不使用暴力詐術。

戰場即地獄

——第五號屠宰場

書名：第五號屠宰場（*Slaughterhouse-Five*） 206 面；21 公分
著者：馮內果（Kurt Vonnegut）
譯者：陳枻樵
麥田出版（2016.04 三版）

> 我們學到身為人最重要的事情之一，是觀點取替。……。當一個人突然需要設身處地理解別人立場時，就會開啟新的認知路徑。
>
> ～大衛・伊葛門《大腦解密手冊》

作者馮內果（1922-2007）曾參與二戰歐洲戰事，於1945年（23歲）遭德軍俘虜，歷經德勒斯登大轟炸[1]，他是倖存7名美軍戰俘之一。此段刻骨銘心的經歷和體悟以及深刻的反思，成為他在1969年出版《第五號屠宰場》故事的核心。是時，越戰[2]正打得如火如荼，但同時學生民眾反越戰示威也風起雲湧遍及美國各地，有人認為此書的反戰思維適時發揮了巨大的影響力，促使久戰不利、損失慘重的美國日後自越南逐步撤軍。越戰落幕。越南社會主義化。

這本小說以意識流的手法，非直線不連續地穿梭跳躍於各個時間點，從斷裂往復中的情節，讀者經由整理回顧，認知了作者想要說的故事全貌。在這個用戲謔反諷的黑色幽默筆法寫就的故事裡，最引發我們興趣的，除了德勒斯登大轟炸的怵目驚心之外，就屬特拉法瑪鐸星人的綁架事件了，再加上主人公比利具有不受時空拘束的超能，能夠「瞻之在前，忽焉在後」地在過去、現在與未來的時光隧道旅行，預知後事，讓這本小說滿染科幻色彩。而藉著比利與活在四度空間的特拉法瑪鐸星人的交談，則引出一番對於和平、死亡和時間概念的看法和態度，則又有濃濃的哲學意味在其內。可以這麼說，《第五號屠宰場》是一部反戰小說，它兼具了科幻性、哲學性、戲謔性。此外，它也是一部著名的後設小說（Metafiction）。名列時代雜誌百大英文小說（The All-TIME 100 Greatest Novels）與二十世紀百大英文小說（Modern Library 100 Best Novels）。

小說中的比利「長相有趣」，患有時空痙攣症，「無法控制自己接下來前往的地方」，多次親睹自己的生與死，擁有未來的記憶。他出生在1922年（與作者出生同一年），二戰尾聲，奉召於1944年12月赴盧森堡報到，剛抵該地，尚未配發到槍枝軍服，所屬兵團旋即遭德軍殲滅成了俘虜，後由火車遣送德國東部德勒斯登城的戰俘營服勞役，地址為第五號屠宰場。該屠宰場原先規劃安置準備屠宰的豬隻，如今就是一百名離鄉背井美國戰俘的囚房。本書書名即由此而來。

英美聯軍遂行德勒斯登狂轟濫炸時，比利他們就是躲在屠宰場的肉品冷藏庫，倖存下來。當時外面，陷入一片熊熊大火之中，隨後則像是滿目淒涼了無生意的月球表面，人全死了，死了135,000人；什麼都沒有了，只剩礦物，炙熱逼人的石頭。這就是歐洲史上最慘烈的大屠殺－德勒斯登大轟炸，比起美國轟炸日本廣島更加慘烈。

「德勒斯登大轟炸，是場重大勝利，但有人覺得那場空襲很不光彩，是場大悲劇，是不必要的。」比利在一次空難（1968年）死裡逃生是唯一生還者，醫院鄰床病友哈佛大學教授蘭福爾德就這麼告訴「我當時在那裡」的比利。因為，「德勒斯登是座美麗的城市」、「德勒斯登是座開放的城市，沒有武裝、沒有工業也沒任何重要駐軍，所以你們在那裏不用擔心炸彈攻擊。」結果，是這座城市被夷為平地，城內的人幾乎都全部喪命。「地球人根本就是宇宙的恐怖大王」，作者對人間煉獄的描述，讓人萬分震驚慨歎，引發讀者反思自贖。

1945年比利光榮退役，回校讀書、成為驗光師、以為自己瘋了竟然娶了一個沒人要的但家財萬貫的女子，過著富裕快樂的日子。但他等著外星人來綁架，1967年被飛碟帶回特拉法瑪鐸星的動物園，他全身赤裸裸光溜溜地展示。他覺得特拉法瑪鐸星人有許許多多的美好觀點值得地球人學習。例如，對於和平：「因為什麼也不能做，所以乾脆不去看，直接無視，我們選擇將所有心力放在愉悅的片刻。」對於死亡：「不管在某些片刻你我死得多徹底，我們依舊能永遠活著。仍在某處活著，永遠地活著。死亡微不足道。」對於生活：「專注在人生中快樂的時光，不要在乎悲傷片刻，在永恆時光中只須關注美好事物。」然而，最引起比利關注興趣的是他們的時間觀念：「特拉法瑪鐸星人看待時間的態度一如我們眺望綿延的洛磯山脈，他們曉得片刻永遠存在，只要你以片刻為單位來看待時間，就會發現我們都是困在琥珀裡的蟲。」

這一些，足以讓比利改變了人生觀，對萬事萬物的一切變化，不管好壞，都帶著莫可奈何與無所謂的達觀，逆來順受，於是特拉法瑪鐸星人的：「就是這樣」（So it goes）成了他的口頭禪。不必問為什麼是這樣？他尋求上廣播電台，談論時空旅行的心得，也談到被飛碟綁架在外星的見聞。他認為，許多地球人迷失方向，生活悲苦，這都是缺乏特拉法瑪鐸星小小綠色朋友的那種見解。報紙更刊登他的投書。女兒以為父親會如此荒腔走板，是因為他那一次空難腦部受創所致。

「錄音帶開頭說：我，比利．皮格利姆，預計、已經、永遠會在1976年2月13日死亡。」比利將會被一支高能雷射槍射殺，而當時美國已分裂成20個小國家，以免威脅世界和平。比利只是死一下子，馬上又復活了。

日本作家村上春樹：「我想如果你寫出一個好故事，這個故事就會具備某種力量，我相信講故事的力量。[3]」我想，馮內果的確以超好的說故事的能耐與文字運用的技巧，寫出一個好故事。它具備了無與倫比的力量，改變了世界。村上春樹這句話無疑是替《第五號屠宰場》做了最好的註解旁證。

我讀我見

這就是人生。

一、愛默生（R. W. Emerson）說過：「真正持久的勝利是和平，而不是戰爭。」我們都不希望自己或他人的孩子死在戰場，也不願意看到大地破碎成為廢墟。但時至今日，像是「種族清洗」的大屠殺或恐怖攻擊，依然在世界各地發生。很顯然，人類並沒有從歷史的教訓中得到教訓，怪不得書中悲觀絕望地提到：「我猜想要阻止地球戰亂也是笨主意。」人類的世界需要的是紀律規範與自制私心，還有愛與寬恕，如此才有和平可言。愛的重要性，就如這句話：「我們除了彼此相愛，沒有別的選擇，因為通往和平沒有其他道路，唯有和平是唯一道路。[4]」。

二、我們的刻板觀念，往往視二戰的協約國為正義之師，不致泯滅人性，罔顧人道而濫殺平民百姓，甘冒天下之大不韙，犯上戰爭罪行？然而從盟軍以燃燒彈轟炸德勒斯登的舉動觀之，並不盡然。許多人認為軍事意義的缺乏、平民死亡的代價以及德勒斯登文化上的重要地位這些因素就足以為濫行轟炸定罪。天下烏鴉一般黑，邪惡之念普遍存在你我心中？但只要不是敗寇，是強權大國，就不會被指認為戰犯而受審判？

【延伸好讀】嚴長壽，《在世界地圖上找到自己》，遠見天下文化出版，214面；21公分 （2017.01）。

注釋

1.1945年2月13-14日，英美聯軍對德國東部城市德勒斯登展開夜間地毯式狂炸，摧毀德勒斯登的建物古蹟，更造成平民大量死亡（一說22,700-25,000人，小說中則指稱有135,000人），是二戰中最引起爭論的事件之一。有視為軍事上必要的行動（結束戰爭的戰爭）、有視為是一個絕對帶有懲戒報復意味的悲劇（德軍以 V1與 V2飛彈襲擊英倫、考文垂大轟炸、布亨瓦德集中營大屠殺），亦有視此舉為戰爭罪行（一場不必要與泯滅人性的大屠殺）。參見《維基百科》〈德勒斯登轟炸〉。

2.越南戰爭（1955-1975），美國等資本主義陣營國家支持的南越對抗蘇聯等社會主義國家支持的北越的一場影響深遠的戰爭。最終，美國在越南戰爭中遭受嚴重挫敗，且國內反戰示威聲勢浩大，乃逐步將軍隊撤出越南。北越攻佔並統一全越南。越南社會主義共和國成立。詳見《維基百科》〈越戰〉。

3.見賴錦宏，〈村上春樹反擊右派 「塗改歷史是錯誤」〉，文內提到他在最新出版的長篇小說《騎士團長殺人事件》承認南京大屠殺，引來日本極端網民暴怒揚言燒書。聯合報（國際 A10，2017.04.03）。

4.嚴長壽，《在世界地圖上找到自己》，遠見天下文化出版（2017.01）。作者分從找到青年的定位，臺灣的定位，地方的定位，宗教的定位等四部分暢敘，懇切深入顯見其憂國憂民的衷心。

公正必須是一視同仁

——梅岡城故事

書名：公正必須是一視同仁（*To Kill a Mockingbird*） 383 面；21 公分

著者：哈波・李（Harper Lee）

譯者：顏湘如

麥田出版（2016.07）

不管是誰家母親，她們想要知道的，總是自己的兒子是個多麼了不起的人物。

～沙林傑《麥田捕手》

《梅岡城故事》出版於1960年，作者哈波・李（Harper Lee, 1926-2016）一「書」成名，享譽文壇，永傳不朽。50餘年來不僅風靡全球，還拍成電影，並得到普立茲小說獎，列入二十世紀英文百大小說之林，影響至為廣遠。因深具品德教育的意涵，成為眾多學校指定讀物之一。2007年獲頒美國總統自由勳章，肯定哈波・李在文學上的成就和貢獻。

《梅岡城故事》一書的成功，編輯苔．霍霍夫（Tay Hohoff）厥功甚偉，建議放棄《守望者》原稿[1]，改以絲考特的童年故事為主軸，哈波．李因此重新寫出大獲好評的《梅岡城故事》，一夕成名。無獨有偶，以兒童文學小說《鹿苑長春》一書闖出名號的勞林斯（Marjorie Kinnan Rawlings），當年柏金斯（Max Perkins）因常想起勞林斯《南方月亮下》中的小男孩蘭特，他告訴她：「如果妳寫孩子的生活，不管女孩或男孩，或兩個一起寫，它都是會一本好書。[2]」果然《鹿苑長春》就此孕育而生，爾後暢銷長紅，也獲得普立茲小說獎。千里馬需要有伯樂的青睞激發協助，才能站上巔峰獨領風騷，信然！

《*To Kill a Mockingbird*》中譯《梅岡城故事》，照字面直譯為《殺死一隻反舌鳥》。反舌鳥只會「用牠們的心唱歌給我們聽」，不會為非做歹。作者借喻反舌鳥為善良無辜的人，因此當你殺死牠的時候，就好像殺死善良無辜的人，良心上應該是不安，應該被譴責的。故事中，我們很高興可以找到不只一隻反舌鳥的存在，但可悲可恨的是，當中的一隻反舌鳥真的被殺死了。

故事背景是二十世紀30年代中期，時間長度約4年，描寫白人6歲女孩琴．露易絲（絲考特）於美國阿拉巴馬州南方小鎮梅岡城的童年故事。當地種族主義氛圍濃厚，白人鄙夷仇視黑人。絲考特既是故事講述者也是主角，她相信小鎮的居民都是善良的人，不過隨著時間情節場景的嬗遞推進演變，她也發現人性的黑暗和罪惡。成人的世界並不單純，它是善良與罪惡交織堆疊而成的。

母親已逝的絲考特全身散發著男子氣，「一旦自尊受損就會立刻衝上去打人」，年長4歲的哥哥傑姆是妹妹最好的朋友和保護者，而來到小鎮度假的7歲迪爾，也與他們混熟成了玩伴。三人最常玩的遊戲便是「想辦法引誘『惡靈』阿布現身走出家門」。阿布住在一座陰森可怕的老宅，足不出戶，多年來沒人看過他的真面目，帶著神秘面紗又令人不寒而慄。事實上，他生性十分善良，時常暗中為孩子們留下一些小禮物。也幸好有他出手搭救，傑姆和絲考特始得倖免於歹徒的毒手，遺憾的是在這場暗夜襲擊，傑姆左手肘嚴重骨折。

絲考特的父親阿提克斯是一位正義凜然的律師，謙謙君子深孚人望，受指派為黑人湯姆・羅賓森的強暴案打官司。一宗誣陷案件，卻因此惹來一些偏激白人的鄙夷。甚至，有人認為阿提克斯偏愛黑鬼，是一件敗壞家族名聲而且丟臉出醜的事。「我就是想不明白，為什麼原本明事理的人，一碰上與黑人有關的事就完全失理智。」阿提克斯勇敢挺身為不公不義而努力辯護，孩子的支持是他強有力的堅實後盾。但是「當白人的證詞對上黑人的證詞，向來都是白人占上風」，在白人陪審員聲聲：「有罪！有罪！有罪！」阿提克斯終究鎩羽而歸。「害怕不得不面對我沒做過的事」的湯姆・羅賓森受盡冤屈，憤而越獄，不幸遭到殘酷射殺而畢命，留下悲傷欲絕的寡妻與兩名幼子。

阿提克斯與孩子和黑人們的內心，攢聚了狂瀾既倒的慨嘆與正義難伸的悵恨。因為，不問膚色人人生而平等的，況且黑皮膚並不等同於會說謊、不道德、心懷不軌與邪惡。白人是人，黑人也是人。但是公理正義並沒有當然地站在無辜的黑人這一邊。小說中阿提克斯是一位「自反而縮，雖千萬人，吾往矣！」的人權律師，明知不可為而為之的意志力，「智者不惑，仁者不憂，勇者不懼」的形象，深烙人心引發共鳴，成為永世典範。

我讀我見

你真的這麼想嗎？

一、「世上只有一件事不能少數服從多數，那就是人的良知。」這是阿提克斯奉行的準則，良知告訴他膚色歧視是不平等的。他竭智盡心伸張正義，成為《梅岡城故事》中的英雄人物。但是我們如果來個反向思考，假設絲考特已是成年人，而阿提克斯是一位偏激的種族主義者，那麼有可能發生啥事端呢？《守望者》給了一個答案[3]，讓我們看到另一個迥然不同的世界。

二、人性的醜陋，是生活的現實。在這個「非我族類其心必異」的世界，到處有各種歧視對立仇恨殺戮，要做到人人尊重互愛平等和諧，恐怕是難以實踐的夢想。除非彼此能夠將心比心，多多為人著想。可是說易做難，像是美國的黑白種族紛爭，至今仍是無日無之。欸！這是人類亙古亙今的哀愁與難題。

【延伸好讀】史考特・伯格（A. Scott Berg），《天才：麥斯威爾・柏金斯與他的作家們　聯手撐起文學夢想的時代》，彭倫譯，新經典圖文出版，534面；21公分（2016. 05）。

注釋

1.哈波・李《守望者》《*Go Set a Watchman*》，顏湘如譯，麥田出版（2016.06）。此書稿寫成於《梅岡城故事》之前，卻塵封50餘年，先發後至，直至2015年才出版面世。

2.見史考特・伯格《天才：麥斯威爾・柏金斯與他的作家們　聯手撐起文學夢想的時代》，彭倫譯，新經典圖文出版（2016.05）。此書已改編拍成電影〈天才柏金斯〉。這本書的譯者為了文絡一致將《*The Yearling*》（1938）直譯《一歲的小鹿》，惟另註明自從張愛玲譯成《鹿苑長春》，以後其他中文版本的書名皆如其譯。

3.《守望者》的故事完全不同於《梅岡城故事》，它顛覆瓦解了來自後者的刻板印象。另可詳見蔡秀枝，〈光陰淘洗英雄—返現塵積下的粗糙礫色〉（附於文本「導讀」）及吳鈞堯，〈凡人的英雄旅程〉，聯合報（D3副刊・周末書房，2016.09.10）。

07 智者能以小事大

——往伊斯坦堡的最後列車

書名：往伊斯坦堡的最後列車（*Last Train to Istanbul*） 407 面；21 公分
著者：艾雪・庫林（Ayşe Kulin）
譯者：梁永安
天下遠見出版（2010.08）

> 就像追蹤獵物的時候一樣，我不去尋覓我想要的，只追索已經在那裡的。
>
> ～馬賽爾・泰魯《極北》

以第二次世界大戰（1939-1945）歷史為背景的小說《往伊斯坦堡的最後列車》，是一部描述珍視異族生命與親情恆久不渝的感人故事。當中，書寫土耳其外交人員與法國地下反抗軍努力營救猶太人的高尚情操和過人膽略，最是令人動容且扣人心弦。更難得的是，也讓我們有機會讀到歷史。由於廝殺的雙方（同盟國與軸心國）都指望土耳其站到他們那一邊，土耳其陷於依違兩難的恐怖且微妙氛圍中。她是如何折衝樽俎於英俄與德國之間，如何不重蹈歷史覆轍，避免因參戰而受到戰火的蹂躪？什麼才是符合國家最有利益的做法？這是文本中，精彩的篇章。

回溯歷史，土耳其共和國的前身為雄跨歐亞非的鄂圖曼土耳其帝國（1299-1922）。第一次世界大戰（1914-1918），鄂圖曼站到德國這一邊，是為同盟國，但後來被協約國所敗，鄂圖曼帝國遭到列強瓜分因而分裂。之後，凱末爾（Mustafa Kemal Atatürk, 1881-1938）領導「土耳其國民運動」起義，擊退歐洲勢力，建立土耳其共和國，鄂圖曼帝國至此不存，凱末爾被尊為國父，然而其版圖已大為縮水[1]。此一段慘痛屈辱的教訓，對於土耳其來說是銘肌鏤骨，心中淌血，因此二戰爆發時，是否參戰？加入哪一方？何時參戰？土耳其為之戰戰兢兢，如臨深淵，如履薄冰，陷入長考。對此，文本中有一段貼切又傳神的說詞：「他們要尋找的是一個拖延時間的方法，好讓土耳其可以不用對大戰的任何一方說『好』或『不』。換言之，土耳其需要輕輕撫摸虎背，把兩邊暫時安撫住。」史實顯示，土耳其堅持到1945年2月23日，戰爭已至尾聲，才加入同盟國陣營對軸心國宣戰。這次，土耳其選對邊也押對寶了。

書中，提到土耳其外交部官員馬吉德知道打仗的淒慘下場，深信：「勝利只可能在談判桌上贏得，不可能在戰場獲得。」戰爭是損人傷己的事，因此以對話取代動武來解決歧見和紛爭，才是最好的策略。馬吉德的想法是正確的，而也在土耳其落實執行。

小說的發生地之一的法國，在1940年5月間遭到納粹德國閃電入侵，僅抵擋了12天，以貝當（Henri Philippe Pétain）為首的法國政府就向德國投降，此後，稱維琪法國（Régime de Vichy）。維琪政府是一親納粹的傀儡政權，協助抓捕猶太人和其他「不良分子」[2]，置身於法國的猶太人從此風聲鶴唳，草木皆兵。猶太人的生死都操在蓋世太保手中，在納粹魔掌控下，滅絕猶太人的悲劇，接踵而來。

書名《往伊斯坦堡的最後列車》，指的就是從法國巴黎開往伊斯坦堡的火車，搭掛的末一節車廂特別標誌著一彎白色的新月和一顆五角星（弦月抱星）的圖樣，其上坐滿想逃出納粹魔掌的土耳其猶太人和非土耳其猶太人，當中有不少人護照上的名字是假的，也有人不諳土耳其語。列車行經法、德、捷克、匈牙利、羅馬利亞、保加利亞等國，雖然土耳其的外交官事先已跟那些火車經過的國家商量，但是一路上仍要謹慎應對德國士兵、納粹黨衛軍、蓋世太保的攔截盤查。「要回去土耳其，得穿過一片地獄。」這是一趟危機四伏、步步驚魂的漫長旅程。不過，一旦火車進入土耳其國境，就意味著自由與重生。大家深信「有陰影的地方就有光」。

同情猶太人的處境，「沒有人有權毀壞別人的身體」、「不能容忍我國國民因信仰的緣故受到粗暴對待」，是小說中的核心價值。透過幾個土耳其外交官的積極作為與巧妙手法，像是核發護照給那些希望能擁有土耳其國籍的人，或者從警察局和集中營救出猶太人，或者專車送回土耳其，在在展現了土耳其的崇高人道關懷，值得珍貴，代代傳頌。此之所以，故事一開場，作者就羅列了外交部長努曼貝伊等20位外交官的大名，藉此讚揚他們的義舉善行，而這本小說也可說是致敬之作。

此外，作者亦強調異族通婚也應該同樣受到尊重和祝福，過度強調民族主義並非好事。文本中，出身名門望族的土耳其穆斯林席娃嫁給猶太人拉斐爾，但是席娃的父親堅決反對，逼得小兩口不得已避難遠走法國，可是當時的維琪法國是受納粹德國操控的，必須在胸前繡一顆黃色六角星的猶太人日子愈來愈難過，蓋世太保視之如牲畜，拉斐爾因而閃閃躲躲，惶惶不可終日，擔心被抓走，關進集中營。在家裡，席娃除了掛心拉斐爾的安危，也為著應否為小兒子行割禮？將小孩教養為穆斯林或猶太教徒？舉棋不定而困擾不已。當有一天驚覺危險已悄然來到，為了保命他們只得暗中策劃第二次的逃難，搭上開往伊斯坦堡的列車回到祖國。此去，不僅生死未卜，而且縱使安返土耳其，老父會盡釋前嫌伸出雙手熱情擁抱歷劫歸來的他們嗎？

在這偌大的世界上，到底有沒有人們可以和平共處，不會互相折磨的一方角落可供棲身？這是來自席娃的無助喟嘆！

作者艾雪・庫林（Ayşe Kulin）是土耳其人，多才多藝，不但寫小說，也寫劇本和散文，還擔任過製片、攝影和編劇的工作。她的作品是暢銷排行榜冠軍常客，屢獲重要獎項。《往伊斯坦堡的最後列車》是她的代表作。

讀這部小說，讓我們增加歷史知識，開始思想，學會接納不同，人生變得豐富。

我讀我見

人需要希望。

一、「是要像慢性死去的活著，還是面對死亡的求生。[3]」小說中猶太人的選擇－面對死亡的求生，告訴我們生命的可貴，縱使擁有的僅是一絲希望，但絕不輕言放棄。「山高自有客行路，水深自有渡船人[4]」，務必堅持到最後一刻。也許，這就是《孫子‧九地》：「投之亡地然後存，陷之死地然後生」的真諦吧！

二、土耳其在二戰時學乖了，大多數時間內保持中立，最後也做了正確的選擇。這也讓我們想起小國寡民的瑞士，二戰時，就厲行戰時經濟，物質管制，整軍經武，全國400萬人可以動員50萬人，幾小時之內就可穿上軍服應戰。更厲害的一招是，瑞士在德國通往義大利的兩個隧道埋下大量地雷[5]，嚇阻德國不敢輕舉妄動。這些因素讓希特勒放棄入侵。對比之下，同樣亦曾宣佈永久中立的荷、比、盧、丹、挪等國卻先後遭到德軍的毒手。看來，一個國家不管政治立場如何，鐵律是領導者一定要有洞燭先機的智慧和令人敬畏的國富力壯，否則終將成為列強的玩物。

【延伸好讀】馬欣，《長夜之光：電影擁抱千瘡百孔的心》（*Let there be light*），木馬出版， 263面；22公分（2017. 06）。

注釋

1.詳見《維基百科》〈鄂圖曼帝國〉、〈穆斯塔法・凱末爾・阿塔圖克〉。

2.參見《維基百科》〈維琪法國〉、〈貝當〉。貝當與德國占領當局合作，以換取軸心國不瓜分法國的承諾。貝當在法國仍被視為叛國者，戰後被判死刑，後改判終身監禁。囚禁在大西洋中的利勒狄厄島，直到1951年去世。維琪政府配合納粹德國的大屠殺，逮捕遣送76,000名猶太人至集中營，是法國人永遠難以坦然面對的恥辱與罪行。

3.馬欣，《長夜之光：電影擁抱千瘡百孔的心》(*Let there be light*)，木馬出版（2017.06）。著者自己說，這本書是「寫給破碎人心的另類處方箋」。書內28篇短文，根據28部電影角色，借人喻事，申述在破碎年代的人生面對絕境或困境，要有掙脫束縛破繭而出的勇氣和信心。電影中的角色，就是生命學習的典範。

4.典出明・吳承恩，《西遊記》第七十四回。

5.CT Jennife 〈二戰中德國為什麼沒有佔領瑞士 原因竟是這樣！〉中時電子報，2015.06.05。
http://hottopic.chinatimes.com/20150605005146-260812。

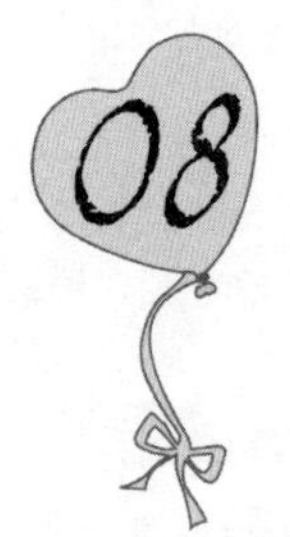

08 彼此理解，他人也是人

——失物招領處

書名：失物招領處（*Fundbüro*） 285 面；21 公分
著者：齊格飛・藍茨（Siegfried Lenz）
譯者：鄭納無
遠流出版（2007.10）

生命是一份禮物，不要浪擲它。儘可能做好事，儘可能寬恕。如果這些你都做到了，繼續向前走；不論是今生，還是來世。

～卡瑞納・伯格費爾特
《死前七天：關於罪行與死刑背後的故事》

齊格飛・藍茨（1926-2014）為德國當代最傑出作家之一，曾獲多項著名文學獎。早期以小說《德語課》（1968）成名，《失物招領處》（2003）是其晚年之作，後者同樣獲得好評，國內如南方朔等人亦著文讚譽，推崇有嘉。藍茨擅長用文字展現各種社會現象[1]，映照真實人生百態，激起讀者澄思寂慮，喚起眾人共鳴同感，尋回人性中的同理心和同情心。齊格飛・藍茨的苦心孤詣，當如史坦貝克：「理解人類常常導致愛，而不是恨。……。寫作可以促進社會改革、懲治不公、讚美英雄，但是基礎主旨還是那一條：彼此理解。[2]」

這部小說的背景，是在人道主義與種族主義拉扯拔河的德國社會，前者主張人人平等泛愛眾，後者強調種族優越排他性。1960年代出現的新納粹（Neo-Nazism）就是極右派的種族主義者和國家主義者。他們敵視外國人，認為外國人搶走了他們的工作機會，曾發動多起暴力事件攻擊外國人[3]。小說中的訪問學者俄國巴什喀爾族人數學家拉古廷博士、來自非洲西南部納米比亞的移民鄆差喬，二人皆曾遭到摩托車黨包抄、圍堵、威脅、衝撞、糾纏而險象環生，拉古廷更還在一次宴會受到言語的侮辱奚落。這就是德國目前的現象處境，作者有意要我們從這兩個霸凌事件，進行內省審視。

作者另要表達的是，大家原以為枯燥無味、沒前途的職業，只要你能運用想像力去對待，工作就會變得生趣盎然、有價值。職業無貴賤好壞。故事主角24歲的亨利・倪浮家世優越顯赫，有點玩世不恭，要在長輩的庇蔭之下謀個「好」工作根本不是問題，但是他不想夤緣攀附，反之，投身冷僻門－聯邦鐵路局失物招領處。他說，我樂意讓別人升遷，我只要工作愉快就足夠了，能有耐心地面對失主的拜託、抱怨或要求，能和失主交涉，能安慰、幫助他們，就感到無比高興。他也覺得，這份工作有學不完的東西，也體驗到連續不斷的驚艷。對於失物者內心的懊悔、憂慮和自責，他感同身受。他體悟到，自己所從事的工作是重要的。他能夠化腐朽為神奇。他，在那裡不只是幫人找東西，也找到自己。快樂自信的自己。

「說來您一定難以相信，現在的人會丟失、遺忘什麼，即使是攸關自己命運的東西，也會忘在火車上，然後再來我們這邊，請我們幫忙找回。」

故事中，亨利・倪浮因著送還一個袋子，而認識外國人拉古廷並變成好朋友，連帶的他的姊姊芭芭拉也對拉古廷產生好感。拉古廷原是受邀來當地的科技大學參與一項研究計畫，卻因一次餐會上一對夫婦意有所指地暗諷挖苦鄙視，深感受傷，忍憤默然離開，返回自己的國家，不再回頭，當然該項研究計畫也永遠中止了。作者鋪陳此一波瀾變化的情節，其意當是在嘲諷人類心理中的排外情結的可悲。相同的，郵差喬亦也是排外情結作祟之下的受害者。事實上，種族歧視的悲歌似乎並不會戛然而止、從世界消失。就如美國雖然曾選出黑人總統歐巴馬，但是國內的種族衝突並未稍減，黑人的生命依然沒有受到尊重[4]。

不過，作者乃是人道主義的闡揚者。藉著亨利・倪浮之口，說出：「我個人反對暴力，也不喜歡暴力」、「意見一致或者其中一個讓對方理解了，有時做得到，有時理性能勝利」。文本中令人驚訝的一段轉折是，主張彼此增進了解、反對暴力但也曾身受摩托車黨之害的亨利・倪浮，為了搶救遭遇暴力圍攻的喬，毅然挺身而出，揮動曲棍球桿回擊那些摩托車黨人。鄰近的人們聞訊也趕來加入戰場，助他一臂之力，打退那些素行不良的混混們。

讀到此，感覺這實在是一個很是振奮人心的場景，因為我們大部分的人還都是善良的，都是具有正義感的！

從這部有趣誘人，意在言外的小說，看到作者想借著文字的書寫來扭轉改變這個世界的企圖心。作者關注人類間的互愛與互助，不要有暴力；重視人類的價值和尊嚴，人人平等。有人稱譽作者是德意志的「心靈守護者」，信而有徵耶。

我讀我見

取決於你的思想。

一、小說中，拉古廷與喬都是來自異域他國，也都遭遇到種族主義者言語霸凌和肢體霸凌，在一個標舉人道主義至上的文明社會不應容許這種事情發生。提姆‧哈福特：「我們仍對外人懷有很深的戒心，……。我們必須克服這點：每個社會都必須容納外來者，才能引進新的態度、思想和觀點。[5]」我們真的必須要以寬容的心去理解並接納異己，一旦沒有了歧視就不會有恨，不會有爭端。

二、悲憤填膺，不告而別的拉古廷留下字條：「射中你的箭，可以拔出來，但言詞卻永遠留在裡頭。」在在強調提醒人與人相處要互相尊重，才不至於傷害到別人。所以，「一字之褒，榮於華衮；一字之貶，嚴於斧鉞。」或如諺語：「良言一句三冬暖，惡語傷人六月寒。」應該銘記在內心，時時惕勵鞭策自己。從今爾後，多同情多理解，多說好話吧！

【延伸好讀】蔡增家，《上一堂最生動的國際關係：20部經典電影告訴你世界原來是這個樣子》，先覺出版，239面；21公分（2017.04）。

注釋

1.詳見《維基百科》〈齊格飛・藍茨〉。

2.見《維基百科》〈人鼠之間〉，1938年約翰・史坦貝克（JohnSteinbeck）筆記。

3.《維基百科》〈新納粹〉。以希特勒的繼承人自居，延續其使命，他們支持納粹主義、反猶太主義、極端民族主義及種族主義等。出現在德、英、美、瑞士、西班牙等多個國家。

4.蔡增家，《上一堂最生動的國際關係：20部經典電影告訴你世界原來是這個樣子》，先覺出版（2017.04）。其中一個醒目的標題是：「黑人執政，為何美國黑人卻無法呼吸？」這本書教我們看懂電影背後的真正意義。這本書幫我們認識世界，像是東南亞、中東、非洲和南美的一些國家，情勢的波譎雲詭，政客的縱橫捭闔。也看到一些列強為了一己之利的醜陋嘴臉。其內容有四大項：一、恐怖主義與族群衝突。二、人權與民主的不斷辯證。三、經貿關係與貧窮。四、移民與邊境問題。

5.提姆・哈福特（Tim Harford），《不整理的人生魔法：亂有道理的！》，廖月娟譯，遠見天下文化出版（2017.03）。教人眼睛一亮的心理勵志書，它不認為秩序井然、單純一致是件好事，反之，會斲喪創新的能力。亂中才能取勝！

沒有人喜歡孤獨過一生

——人鼠之間

書名：人鼠之間（*Of Mice and Men*）　173 面；17 公分

著者：約翰・史坦貝克（John Steinbeck）

譯者：不詳

萬象圖書出版（1999.04）

> 無論我們多富有，都不可能擁有一切，所以專注在帶給我們最多樂趣的東西上，更有可能享受人生。
>
> ～克勞蒂雅・哈蒙
>
> 《為什麼撲滿比存摺容易存到錢？》

《人鼠之間》（1937）與《憤怒的葡萄》（1939）及《伊甸園東》（1955）為1962年諾貝爾文學獎得主約翰・史坦貝克（John Ernst Steinbeck, Jr., 1902-1968）最為膾炙人口的作品。《人鼠之間》一問世，即深獲好評美譽，有稱之為「偉大的短篇，因為它的情景引人入勝」，叫好又叫座。但因涉及「提倡安樂死」、「容忍種族侮辱」等理由，曾被學校、圖書館列為禁書。後來解禁，在許多英語系國家如美、英、澳、紐和加拿大等，將它列為中學生的必讀書。由於此書往昔常常受到審查，還被美國圖書館協會列為「二十一世紀百部最具挑戰性書目」（Top 100 Banned/Challenged Books: 2000-2009）之一[1]。

這部短篇小說是根據作者自己早年的打工經驗寫成的，背景為1930年代的景氣大蕭條。描述兩位農工、摯友喬治與倫尼從野草鎮牧場奔逃避往另一牧場工作謀生，在不到三天的光景所發生的悲劇。主題纏繞糾結在夢想和孤獨，以及安樂死的議題。故事情節悽楚細膩，奇峰迭起，驚慄深刻，感人心懷。讀這本書，會強烈地喚起我們思考人生處境的愁苦與無力回天的無奈。

人因夢想而偉大。喬治與倫尼就是一路編織「永遠不會實現」的美夢，夢想將來有個牧場，自己可以當家做主，不必仰人鼻息，愛做什麼就做什麼。這使他們意氣風發，精神奮勇。兩人時不時地你一句我一句地背誦著共同的美麗前景：「把錢湊在一起，有一幢小房子、一兩畝地、一頭乳牛、幾口豬，就此靠土地的生產過活，並且養兔子。」當「購置牧場」的消息走漏後，老工人老糖和黑人克魯克斯表達了高度的興趣，他們也想投靠加入，同時做起黃粱大夢來了。「每個人都是一腦子這好主意實現時的那片美景。」

種苜蓿養兔子，是倫尼畢生最大的願望，因為他喜歡撫摸毛茸茸、軟綿綿的動物。當然，他也喜歡撫摸耗子和小狗，不過卻都把牠們玩死了。凡是外表柔順光滑的東西，他都喜歡摸一摸。不幸的是，高大強壯、孔武有力的倫尼患有智障，闖下不少大禍卻仍覺得自己是無辜的，更絕對沒有傷人的惡意。悲劇的釀成就是來自他的腦子有毛病、奇怪的癖好和天生巨大的手掌。幸好喬治一直不離不棄，並以保護者姿態替他排難解紛，但是命運捉弄，該來的悲劇總是來了。

冰冷無情的現實容不了虛無縹緲的春夢，就像冰炭不同器。道路盡頭，是夢碎人亡。夢碎，想擁有個小牧場，是永遠無法實現的事，是失去的夢土；人亡，柯利的妻子被渾然無知的倫尼撫摸柔髮終至扭斷脖子。逃走的倫尼則被隨後而至的喬治找到，喬治不再痛責倫尼，兩人又重溫小牧場的美夢。稍後，喬治手發抖，站在倫尼背後瞄向後腦勺扣下槍機，為的是不忍心讓倫尼落入柯利他們之手而受到私刑殘害。護友、愛友，真摯之情溢於言表。披讀至此，腦海浮現一幅震撼心絃的悲壯畫面。令人心痛。喬治並非生性殘酷，對摯友下此重手理應是情非得已。

作者也經由三個事件表達對於安樂死（euthanasia）或提前死亡的看法，這是小說受到疵議批評的地方。例如，牧場老工人老糖的老牧羊犬，不能吃也看不見，讓牠活著是讓牠受罪，因為牠無法表示同意或不同意，人類替牠做了決定。對著老狗的腦勺子開槍，「牠不會感覺什麼」、「牠的身子甚至於不會顫抖」。而老狗的死，似乎也預告了倫尼的悲慘下場。另如，工頭斯利姆亦說：「要是我老了，成了殘廢，我倒希望有人給我一槍。」顯現他是希望好死而不願歹活。由於安樂死有「殺人」或「協助自殺」的嫌疑，因此在許多國家引發了很大的爭議[2]。

在文本中，馬房工人克魯克斯是牧場裡唯一的黑人，因為是黑人，所以沒有人要跟他住在一起，說他身上有股臭味，下工之後也不能去工人宿舍玩牌，只能去看書，一個伴兒都沒有，克魯克斯覺得快要發瘋、要生病了。「牧場上做工的傢伙，是全世界最孤寂的人。」看來，克魯克斯就是全世界最孤寂的人了。因膚色而形成差別待遇，是不公不義的，但未見克魯克斯大肆撻伐抗爭，似乎是無可奈何地容忍下來。

此一譯本，文後附有長達8頁的〈後言〉以及〈史坦貝克年譜〉，讓我們更加了解史坦貝克多采的一生和《人鼠之間》的深沉意涵。

這部小說寓有深意，反映出工人追求經濟獨立與人生旅途希望有伴同行的渴望。史坦貝克曾說：「如果你懂得對方，就會對他友善。理解人類常常導致愛，而不是恨。[3]」喬治和倫尼的情誼，就是來自相互理解懂得對方，在此，愛也獲得彰顯強調。這是一本值得我們咀嚼玩味，反覆思量的短篇小說。不容錯過。

我讀我見

永遠不能軟弱。

一、人都需要伴侶，孤獨是生命的殺手，孤獨的人是不幸的。書中，像是遭冷落的黑膚工人克魯克斯、死了老狗的老工人老糖、不安於室的柯利的妻子等皆是深陷孤獨的羅網之中，看得出他們亟需有伴可以聊天談心，讓生命更為充實快樂。不限人類，動物（毛小孩？）亦可成為友伴。彼此關懷，相互學習，增加智慧，開創新局。就如湯姆·米榭：「命運讓我和一隻企鵝變成摯友，成為旅伴，又怎麼知道企鵝最後讓我寫出無數個枕邊故事，……。[4]」。

二、在倫尼誤殺柯利的妻子之後，喬治茫然懊惱地說：「我應該料到的，我猜我腦子裡曾經隱約料到這件事。」後悔已遲。在喬治見不到倫尼的地方，倫尼就會犯錯，甚至賠上自己性命。如果可以及早籌謀周密防範，「我到哪裡，你就到哪裡」，當可避免更多傷害的發生，不是嗎？只是有時百密一疏，陰錯陽差，災難還是避不了，令人黯然神傷。時也？命也？運也？

【延伸好讀】湯姆·米榭（Tom Michell），《一隻企鵝教我的事》，高霈芬譯，創意市集出版，255面；21公分（2017. 03）。

注釋

1.見《維基百科》〈人鼠之間〉。書名原為《一些事情發生了》，但當史坦貝克閱讀了著名的蘇格蘭詩人羅伯特‧伯恩斯（Robert Burns, 1759-1796）的詩〈致老鼠〉後，遂將小說改稱《人鼠之間》。該詩提到「人和老鼠的命運，時常被扭曲」。

2.安樂死有「好的死亡」或者「無痛苦的死亡」的含意，目前醫學界對「安樂死」無統一的定義，不過在操作層面，主要可分為：主動安樂死（Active Euthanasia）與被動安樂死（Passive Euthanasia）。詳見《維基百科》〈安樂死〉。

3.同注1。

4.湯姆‧米樹（Tom Michell），《一隻企鵝教我的事》，高霈芬譯，創意市集出版（2017.03）。此書描述作者救起一隻沾滿油污、奄奄一息的企鵝，這一隻企鵝就此跟著他。他有了嶄新快樂的生活，牠帶來歡笑撫慰千萬生命。他開始去了解企鵝的生態，知道「你不能把一隻企鵝單獨放回大自然」、而橄欖球賽贏了對手，居然是來自這一隻企鵝的「朝著視線反方向跑！」戰術的成功。湯姆‧米樹與一隻企鵝的故事，是啟發教化，溫馨動人的一本傳記。

女人不只是女性

——蓋普眼中的世界

書名：蓋普眼中的世界（*The World According to Garp*） 575 面；22 公分
著者：約翰・厄文（John Irving）
譯者：張定綺
春天出版（2016.07）

> 不管任何時候，你只要對人產生感情，就等於讓自己面對危險。
>
> ～漢娜・汀婷《好賊》

1949年西蒙・德・波娃《第二性》出版，被視為現代女權（性）主義的奠基之作。其經典名言：「女人不是天生命定的，而是後天塑造出來的。」深烙人心。她以為，女性獲得解放必須依靠以下兩個途徑：對於生育與否的自我決定權以及工作[1]。當我們讀到《蓋普眼中的世界》[2]中珍妮・費爾茲的自傳《性的嫌疑犯》寫道：「我要一份工作，也要一個人住。……。後來我要一個小孩，可是我不想為此跟人分享我的身體或人生。……。」不禁會聯想到，作者約翰・厄文乃是藉著《蓋普眼中的世界》一書來宣揚女權主義[3]。

小說中除了彰顯女性主義議題的生育權、受教育權、性暴力、變性、歧視的情節外，也盡情揮灑描敘「這世界因淫慾而變態」帶來的災難，戲謔中有著醒世之用。淫慾是「沉澱的野性」，是毒蛇猛獸，一旦出柙就難以駕馭操控。

書中的珍妮・費爾茲是一位特立獨行、沒有浪漫情調的女性。對於男性主宰的世界，她有很多不同的看法和做法。她拒絕家人的美好安排，放棄大學改讀護校，因為護士是她最喜歡的工作，能夠照顧病人。珍妮為了擁有一個自己的孩子，在醫院「強暴」了一名腦部受傷不能言語的轟炸機砲塔槍手蓋普。只懷孕而已，再沒有其他，她不需要男人。於是非婚生小孩 T. S.蓋普就這樣誕生了，由珍妮自己隻手扶養他長大。

珍妮等了18年才開始寫有關自己的書《性的嫌疑犯》，「第一本真正的女性主義自傳」。珍妮在她那劃時代的前衛自傳出版後嶄露頭角一夕成名，成了所謂「女性主義代言人」。她花很多時間幫助那些人生複雜的人，收容陷入困境迷失的婦女以及褊狹心態的受害者。但在一競選場子遭到偏激份子狙擊身亡。無獨有偶，矢志成為作家並娶得海倫為妻的蓋普，在33歲已出版1篇短篇小說、3部長篇小說，其中《班森哈維眼中的世界》被譽為「女性主義新聖經」，卻也遭「女性主義」份子槍擊而死。母子皆遭仇視者刺殺，令人震撼驚嚇不已。神奇的是，作者卻借著編輯吳爾夫之口，引申出只可意會不可言傳的：「槍殺比自殺更有助於確立他作品的文學性與他在文壇的地位聲譽。」

蓋普的妻子海倫，在故事中自然也占了很重要的分量。她自信是個好女人，卻因小小的性放縱被迫承擔不成比例的苦難。在一場難以想像的車禍，大兒子丹肯失去一隻眼睛，小兒子瓦特不幸一命嗚呼哀哉死了。海倫夠強悍，直到珍妮．蓋普誕生，才擺脫失去瓦特的哀慟。一時的激情欲望，得忍受它帶來的衝突和痛苦。因為有人受到傷害，這個代價就顯得巨大無比了。

文本裡有一句話，人生就是一齣 X 級的肥皂劇。是耶？非耶？

深獲好評的《蓋普眼中的世界》是約翰・厄文的第4本小說，為其代表作，曾拍成同名電影。此書頁量不少，厚達575頁，令人望而卻步，所幸作家具有高明的說故事能力，波瀾變化，跌宕生姿。行文語氣坦率富幽默詼嘲，間多有因人生領悟而得之的雋語妙言，發人深省。況且其結構特殊－小說中又有小說，吸引力十足。因此，讀起來意趣橫生，絲毫不覺其篇幅浩繁。此外，值得一提的是，約翰・厄文《心塵往事》（1985）[4]亦拍成同名電影，劇本仍由自己操刀，獲得1999年（第72屆）奧斯卡最佳改編劇本獎。他是當代知名小說家之一，文壇譽為「美國最重要的幽默作家」。

我讀我見

想像比回憶難。

一、文本的作者透過書寫，直接告知所欲傳達的訊息，像是女性主義以及「這世界因淫慾而變態」等概念。反之，傑克・倫敦《野性的呼喚》[5] 則是藉著一隻名叫巴克的狗，間接展示核心思想－達爾文主義：適者生存，不適者淘汰。為了生存，巴克對任何環境的堅強不屈與適應進化，的確是值得人類學習。於是，巴克隱隱是人類的化身了。

二、爭平等、要公平，是人性的天生欲求，女性主義的風起雲湧就是對性別歧視的抗爭。如今，同志爭婚姻平權，要求允許同性婚姻，同志伴侶的權益必需要有法律保障—同性婚姻合法化。不過這一議題沸沸揚揚起了很大的正反之爭，其癥結在於，修民法或立專法。當然，也有從根本就反對同性婚姻的。我們台灣社會民情向來對待同志頗為友善，然而有可能成為亞洲第一個允許同性婚姻的國家嗎？更要問，如此重大的轉變，我們大家心理上可都準備好了嗎？

【延伸好讀】傑克・倫敦（Jack London），《野性的呼喚》，施智璋譯，國家出版，253面；21公分（2015.01）。

注釋

1.西蒙．德．波娃《第二性》，邱瑞鑾譯，貓頭鷹出版（2013.10）。《第二性》擁有多種語言的譯本，全球銷量超過幾百萬冊，此書時至今日，仍奉為女權哲學的「聖經」。

2.原書1978年出版，最早的中譯本於2003年圓神出版，譯者同是張定綺。

3.見《維基百科》〈女性主義〉。女性主義的觀念認為，現時的社會建立於一個男性被給予了比女性更多特權的父權體系之上。

4.約翰．厄文，《心塵往事》，麥倩宜譯，春天出版（2016.05）。最早的中譯本於2000年圓神出版，譯者同為麥倩宜。描寫孤兒荷馬與勒奇醫生的故事。荷馬起先不願繼承勒奇醫生的衣缽－為人墮胎，遂遠走他鄉。經歷理想與現實的掙扎，最後仍回到勒奇醫生的身邊。

5.傑克．倫敦（1876-1916），《野性的呼喚》，施智璋譯，國家出版（2015.01）。此書除了〈野性的呼喚〉外，尚包含其他5篇短篇小說：〈北方浪人〉、〈祝福旅途上的人〉、〈生火〉、〈生命之愛〉、〈外邦人〉。《野性的呼喚》為一部動物冒險的隱喻小說，被視為是美國文學史上的經典作品，譽為「世界上讀得最多的美國小說」。

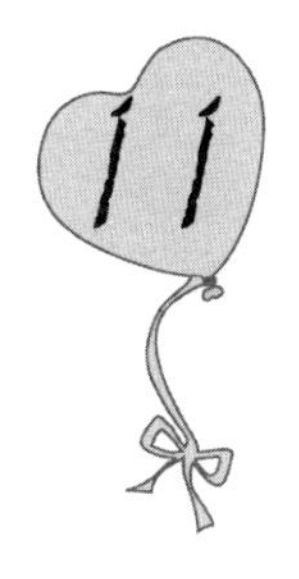

11 我們的罪是無底洞

——盲眼刺客

書名：盲眼刺客（*The Blind Assassin*） 502 面；21 公分
著者：瑪格麗特・愛特伍（Margaret Atwood）
譯者：梁永安
天培文化出版（2002.02）

詩來自失落。我們不都是自尊心受傷而成長，變得更有智慧？

～希拉蕊・曼特爾《狼廳》

瑪格麗特・愛特伍（1939-）加拿大人，多產的小說家和詩人。一位深受尊崇的小說家，被譽為「諾貝爾文學獎呼聲最高的作家」。她亦是文學評論家、女權主義者、社會活動家。《女祭司》（*Lady Oracle*, 1976）、《使女的故事》（*The Handmaid's Tale*, 1985）、《盲眼刺客》（*The Blind Assassin, 2000*）與《末世男女》（*Oryx and Crake*, 2003）等為其膾炙人口的知名代表作[1]。其中《盲眼刺客》在2000年贏得英國布克獎。由於她的作品裡，主要角色率皆由女性擔綱演出，女性意識強烈，因此也被視為女性主義作家。

《盲眼刺客》這部小說，以獨特的文體與奇幻的故事，牢牢地吸引住了讀者的眼光，帶來感官的刺激。非直線性敘述的意識流的手法，使讀者陷落在前後錯置的歷史時空。另者，具備後設小說的書寫，《盲眼刺客》小說中還有一本同名叫《盲眼刺客》的小說。換言之，它同時讓兩個故事交替呈現，前者描述的是發生於真實世界的曲折愛恨情仇故事，後者描述的是一個虛幻世界—辛克龍星球的奇幻（Fantasy）故事。然而讀畢全書，我們會恍然大悟。精巧的連結。這兩個故事實際上就是一個故事耶。

真實世界的故事，地點發生在加拿大泰孔德羅加港與多倫多，是由第一人稱的「我」－艾莉絲－回憶其一生點滴的記錄，特別是與妹妹蘿拉。她活了83個年頭，因心臟病發作於1999年遽然辭世。期間歷經一戰、1930年代經濟大蕭條、西班牙內戰（1936-1939）以及二戰等重大歷史事件，這些皆影響了小說中的人物與情節的鋪陳和走向，如有人戰亡、傷殘或工廠倒閉關門、罷工暴動、自殺。

艾莉絲出生於1916年，父親查斯上尉是一戰受傷的英雄，他繼承祖業經營鈕扣工廠，但遭逢經濟大蕭條，查斯不懂為自己打算，最後走向毀滅。艾莉絲與蘿拉曾窩藏左傾份子亞歷斯，姊妹倆皆對他滋生情愫。此後，查斯將艾莉絲許配多倫多的紡織業大亨理查，他熱中政治。這看起來像是一樁商業交易的聯婚，就此埋下災難的種子。例如，25歲的蘿拉車禍意外身亡（但很多人相信是自殺)，是其中最受矚目的事件。又如，艾莉絲替蘿拉出版遺作《盲眼刺客》(與本書同名喔！)，驚動了社會，不見容於衛道之士，大家亦為早夭的作家感到不捨。有人認為「遺作」內容在影射了理查什麼的，以及牽引出一則涉及理查的醜聞，因而導致理查身敗名裂，毀掉大好政治前途。最後，腦溢血（？）死於自己的遊艇上。

蘿拉的遺作《盲眼刺客》描述的是，一名女子多次幽會神秘的男子，而這名男子善於在每次幽會時說一小段故事－外太空辛克龍星球的盲眼刺客的出現和歷險－取悅這名似已是羅敷有夫的女子，而且也在雜誌發表過一篇小說〈色諾亞星的蜥蜴人〉。男子口中的「盲眼刺客」，是指因受迫勤奮織地毯以致眼盲的童奴，被賣到妓院後逃出成為刺客，他以無聲無息，行動迅疾和出手無情而馳名，他的名字叫X。這也是書名的由來。此書敢於公然挑釁世俗的矯情，引起議論：「書中的女主角當然就是蘿拉，但跟她上床的男人又是誰呢？」大家把箭頭指向理查。再者，蘿拉死於自殺的傳言在《盲眼刺客》出版後更是甚囂塵上。因為蘿拉之故，真實世界與虛幻世界的《盲眼刺客》就連在一起了。

事實上，虛幻世界的《盲眼刺客》的真正作者並非蘿拉而是艾莉絲。她借用蘿拉之名出版，一定有深沉的意圖在：為蘿拉掙回公理、予理查制裁懲罰？但也有人說她害死蘿拉，而且理查更因《盲眼刺客》的揭露，「內疚神明，外慚清議」步上自殺之路。她是真實世界的盲眼刺客嗎？虛幻世界的《盲眼刺客》有一段文字：「盲眼刺客在猶豫是要割那女的喉嚨，還是永遠愛她？」

真實世界的艾莉絲在思索採取行動之前，心中可曾掠過這種猶豫？

艾莉絲說，這本關於蘿拉與我的生平記錄的回憶錄，是為薩賓娜而寫，她是最需要它的人。因為，這本書將會讓外孫女薩賓娜知道家族歷史，更重要的是，也要讓她知道她的外祖父並不是理查。薩賓娜真正的外祖父是亞歷斯，這豈不意味著艾莉絲有了婚外情？出軌的理查也戴了綠帽？

艾莉絲到底是怎樣的一個人？她在溫妮薇德（丈夫理查的姊姊）的眼中，是一個沒有殺傷力的蠢才，而且艾莉絲自己也說：「我一直保持沉默，保持微笑，自甘當個花瓶。」不過，「扮豬吃老虎」，贏得最後勝利的似乎就是她！

文本中精彩的情節，在於艾莉絲與蘿拉以及亞歷斯三者之間的牽扯、蘿拉與姐夫理查的糾葛、艾莉絲與理查的愛恨。隨著艾莉絲的順藤摸瓜，沿著線索追究，終於發現理查欺凌蘿拉的真相，也深得興味。在閱讀旅程中，思緒靈魂也就在時光隧道、兩個異世界裡穿梭跳躍與串聯。由於布局的精緻巧妙，用字遣詞隱晦，情節撲朔迷離，轉折出人意表，值得一讀再讀，更能享有豁然開朗的大大愉悅。

這是一席驚奇豐美的心靈饗宴。

我讀我見

我看不見自己。

一、柯奈留斯・赫希堡《如何給自己一份無價的禮物》：「一本小說是一個世界，也是一間學校。它教導禮儀，也灌輸思想。我們從中認識各式各樣的人、國家和社會。[2]」小說可以引領我們走入另一世界。曲徑通幽，不管是真實或虛幻的世界，總會讓我們見識到人性醜惡、權力爭逐、人事傾軋、危機處理的跌宕情節，為之耽溺其中，並且自然地運用已有的知識和經驗開始思考。在文本中，讀到透過「安排」，輿論可以隻手遮天、法庭可以反黑為白，這讓我們想到什麼呢？

二、「出於愛，我本來應該撒謊，應該說出除真相之外的話。」羅拉・查斯會駕車墜橋喪命，看來應當是被艾莉絲・查斯的一席話激怒所致。惋惜的是，羅拉沒有足夠的勇氣去冷靜面對，卻隨之起舞，墮入了艾莉絲的圈套。反觀艾莉絲的舉止，似沾沾自喜是情場的勝利者，禁不住多言因而傷了羅拉的自尊。如果，她們兩人皆能不感情用事，讓自己的腦袋清醒下來，仔細想好再行動，或就不致發生懊悔莫及的事了。

【延伸好讀】柯奈留斯・赫希堡（Cornelius Hirschberg），《如何給自己一份無價的禮物》，謝汝萱譯，新樂園，遠足文化出版，382面；21公分（2018.02）。

注釋

1.詳見《維基百科》〈瑪格麗特・愛特伍〉。當中《使女的故事》，有譯《侍女的故事》。瑪格麗特・愛特伍，《使女的故事》，陳小慰譯，天培文化出版，378面；21公分（2002.08）。另可參見吳明益，【導讀瑪格麗特・愛特伍】〈如果最後你看得夠久〉聯合新聞網 讀，書，人，2016.03.29。https://reader.udn.com/reader/story/7071/1595166。

2.柯奈留斯・赫希堡（Cornelius Hirschberg），《 如何給自己一份無價的禮物》，謝汝萱譯，新樂園，遠足文化出版（2018.02）。作者借由自己的經驗分享，闡述自我教育、自我學習比起學校教育更為重要。因此，養成閱讀習慣、閱讀經典好書，就是給自己一份無價的禮物！「書本是通向生命最美好部分的一條大道，而你的自我教育是這輩子唯一一件別人奪也奪不走的事物。」書中，指引自學者該從哪些書籍著手，也告訴如何欣賞藝術、聆聽音樂。書末附錄A是取自凡多倫的《博雅教育》書單，附錄B則是作者整理出的一份優秀小說書單，均對自我教育者很有參考與指引價值。

二

勇敢正直

12 不自由毋寧死

——美麗新世界

書名：美麗新世界（*Brave New World* ） 292 面；21 公分
著者：阿道斯・赫胥黎（Aldous Huxley）
譯者：王寶翔
好讀出版（2014.06）

敵人不在山丘那一頭，也不在任何具體的方向，敵人就在四面八方。

～馬格斯・朱薩克《偷書賊》

阿道斯・赫胥黎《美麗新世界》（1932）與尤金・薩米爾欽《我們》（1920）、喬治・歐威爾《一九八四》（1949）並稱為世界三大反烏托邦小說（dystopian trilogy），當中尤金・薩米爾欽《我們》被視為反烏托邦小說的開山祖師爺，影響了後來的阿道斯・赫胥黎和喬治・歐威爾等人。阿道斯・赫胥黎（1894-1963）出身赫赫有名的書香世家－赫胥黎家族，其祖父就是大名鼎鼎的生物學家、演化論支持者湯瑪斯・亨利・赫胥黎[1]。

未接觸文本之前，單單看書名我們很容易被美麗的（brave，亦有勇敢之意）和新的（new）二字所迷惑，以為描繪的是一個自由和諧尊榮幸福的人間天堂。「黃髮垂髫，並怡然自樂」、「不知有漢，無論魏、晉」[2]。事實上，這個所謂的未來「美麗新世界」一點都不賞心悅目，它的社會制度反而是讓人震驚駭怕。相信現在的大多數人，一定不會樂意活在那種態樣的未來世界。但是，預言或也有可能成真呢？只是，說到「未來」會發生什麼與變成什麼？誰能料得準呢？

我們是否能能夠試著揣想，在西元2494年或2539年（福特紀元632年）[3]是一個怎樣的花花世界？阿道斯．赫胥黎《美麗新世界》告訴我們了一個答案。在世界國這個穩定的世界裡，科學進步，他們把汽車大王亨利．福特奉為神祇（不信仰基督），並以之為紀年單位。他們自命為文明人，然而如《莎士比亞全集》（*Complete Works of Shakespeare*）等列為禁書，不准人類閱讀與獨處，圖書館裡有的只是索引書。他們共守的格言是「合群、一致、穩定」，人人皆屬於其他人，人人皆替其他所有人工作，沒有永遠結婚與廝守終生的概念，「父親」、「母親」是可怕的淫穢用詞。這個穩定的世界裡，沒有寂寞孤單，沒有沮喪生氣，大家都很幸福快樂滿足地生活在一起。

故事發生地點聚焦在倫敦以及新墨西哥野蠻人保留區，前者設置了一座「中倫敦孵育所暨制約訓練中心」，透過進步的生物科技，進行人種大規模試管孵育與分類管制。在世界國有五等次的人，相對於ABCDE，分別稱之α（阿爾發）、β（貝塔）、γ（伽馬)、δ(戴爾他)與 ε(艾普西隆),這五等次又分成正負兩類,他們都要經過睡眠學習、馬爾薩斯訓練和死亡制約訓練等,各等次的人種各有不同的智商、外表和擔負的工作。想當然耳,α(阿爾發)就是最優秀的人種,是尖端頂層的人。故事中的主角,如心理學家伯納德・馬克思(傳說,他的人造血裡面有酒精)與精擅寫作的教師赫姆霍茲・華生皆為阿爾發正族,而他們二人聲息相通、臭味相投,對於生命誕生成長所採取的「試管化」、「標準化」、「規格化」、「一致化」與「制約化」等,內心存在極大的反感。

至於新墨西哥野蠻人保留區,則是世界國的對照組,他們有倫常上的稱謂,自然生育,人不分等次,可以獨處閱讀,可以喝酒。作者在此塑造一位被稱為「野蠻人」的約翰－能閱讀書寫,熟悉《莎士比亞全集》。當他被伯納德帶回「新世界」倫敦後,就此掀起萬丈的浪峰,因為他稀有的「野蠻人」特質、因為他的生父竟然是「中倫敦孵育所暨制約訓練中心」主任。

這本知名經典反烏托邦小說的反社會角色,就是由伯納德、赫姆霍茲與「野蠻人」約翰擔綱演出,他們三人的最後下場都不很好－流放的流放,自縊的自縊。他們的反社會秩序特質,可以約翰的一段話為代表:「可是我不要舒適。我要上帝,我要詩,我要真實的危險,我要自由,我要良善,我要罪孽。」約翰的思想深受莎士比亞的影響,而難以融合於「新世界」,成為異類。由此可見,命定身分、井然有序、整齊劃一、不分善惡、無有憂愁的社會(烏托邦),並不全然符合人性的需求,而那也違背了人類應該活在自由中的鐵律。不自由毋寧死！（Give me Liberty, or give me Death!）[4]

作者在書扉引用俄國哲學家尼古拉·別爾加耶夫的話：「……，讓我們回歸非烏托邦的社會，那個社會雖然沒烏托邦那麼『完美』，但卻較為自由。」信然！

人要當個人自由活著！

莎士比亞影響後世深遠。本書的書名就是源自莎士比亞《暴風雨》中，米蘭達的對白：「人類有多麼美！啊！美麗的新世界，有這樣的人在裡頭！（How beauteous mankind is! O brave new world, that has such people in it.）」文本中，不少的對白也引用了莎士比亞的劇作，如此讀來更覺得是一席豐盛曼妙，顰笑皆美的文字饗宴了。

順便一提，第十二章的釋註（2）到（5），與本文「被釋註」項有出入。而且，它們是重複了第十一章的釋註（2）到（5）。

我讀我見

比空氣還輕。

一、在《我們》一書裡，饒有深意的一段話：「一共有兩個樂園，人們有權選擇：沒有自由的幸福或者沒有幸福的自由。非此即彼，沒有別的可能。[5]」《我們》描繪的萬衆國就是一個有幸福但沒有自由的國度，然而一如《美麗新世界》的世界國，這兩個國家都有反社會的「野蠻人」存在，他們視律法為卑鄙可恥的暴政。這兩本書的結局，皆是「暴政」依然屹立不搖。良知的先行者，就是落得淒涼、寂寞，甚至賠上性命的下場。不過，故事就像沒有最後一個數字的存在一樣，良知的先行者的故事會繼續下去的。

二、在位者為了統理的方便，或者自以為如此這般就可以帶來幸福快樂，「作之君、作之師、作之親」，於是訂下多如牛毛的律法規章，猶如天羅地網而無所遁逃，自由思想與意志受到制約、箝制與改造。史籍記載中的鳴琴而治、政簡刑清[6]的「美麗」黃金年代恐不會重現。文本中，在位者藉著權威、權勢與權力，打造自以為是的「理想國」，但卻斲喪了個人的特質與自由意志，招致強力反撲，這的確值得吾人省思警惕的。

【延伸好讀】尤金・薩米爾欽，《我們》，殷杲譯，野人文化出版，252面；22公分（2015.03，二刷）。

注釋

1.詳見《維基百科》〈赫胥黎家族〉、〈湯瑪斯・亨利・赫胥黎〉。湯瑪斯・亨利・赫胥黎（Thomas Henry Huxley, 1825-1895）的傳世名言：「試著去學一切的一點皮毛，和某些皮毛的一切。」（Try to learn something about everything and everything about something.）。

2.引自晉・陶淵明，《桃花源記》。一篇膾炙人口的文章，它描摹一個幻想虛構的、怡然自在的社會，帶有嘲諷現實的意味。

3.第一章譯註（2）指稱美國汽車大王亨利・福特（1863-1947）的誕生年為福特元年，因此福特紀元632年就是西元2494年。不過，《維基百科》〈美麗新世界〉則說福特元年是指福特第一輛 T 型車上市那一年，也就是西元1908年。兩者相差了45年。此外，福特生於1863年，第一章譯註（2）誤植為1837年。

4.出自美國政治家派屈克・亨利（Patrick Henry, 1736-1799）於1775年3月23日發表著名的《不自由，毋寧死》演說。見《維基百科》〈派屈克・亨利〉。

5.見尤金・薩米爾欽，《我們》，殷杲譯，野人文化出版（2015.03）。筆記體的反烏托邦小說，撰寫者是宇宙飛船「積分號」的設計師D-503。在萬眾國裡人人只有一個號碼，人人按時間表作息，人人一無隱私，人人穿著制服，人人需要做手術，人人住在綠牆之內，雖然幸福快樂，但失去個人的自由意志。後來，有如I-330的起來反

抗「暴政」。

6.政簡刑清語出《野叟曝言》第七十四回:「而貞觀之時,君明臣直,政簡刑清,致治等於成康。」也作「政清刑簡」。見《教育部重編國語辭典修訂本》〈政簡刑清〉。成康,指的是中國周成王與其子周康王統治期間(約西元前1043年—西元前996年),社會安定、百姓和睦、「刑錯四十餘年不用」,被譽為成康之治,是中國第一個黃金時代。習知的中國盛世,尚有如漢朝的文景之治、唐朝的貞觀之治、清朝康乾盛世等。

我不是他人的棋子

——發條橘子

書名：發條橘子（*A Clockwork Orange*） 223面；21公分
著者：安東尼‧伯吉斯（Anthony Burgess）
譯者：王之光
臉譜出版（2011.05，二版）

你覺得自己無用武之地。你渴望行動、追擊，渴望真正的戰鬥。因為你的堅持。

～尚皮耶‧圭諾《小王子的記憶寶盒》

英國小說家、劇作家、評論家及作曲家安東尼‧伯吉斯（1917-1993）於其眾多作品中，1962年出版的《發條橘子》最負盛名，卻不是他最好的一部小說。此肇因於，1971年知名導演史丹利‧庫柏力克（Stanley Kubrick, 1928-1999）將《發條橘子》拍成同名電影，因著電影的影響力才廣為人知，安東尼‧伯吉斯對此愛恨交加、感到欣喜卻也有點失落[1]。更何況電影劇本採用美國紐約版的《發條橘子》，該版刪除了原版第21章故事情節，安東尼・伯吉斯認為那已失去小說之為小說的本質而僅僅是寓言罷了[2]。

我們現在手上的這本書，是保留了第21章的完整版譯本，並附有一篇作者的短文〈【引言】〈再吮發條橘子〉〉。這部以年輕小混混15歲亞歷克斯為敘事者的反烏托邦中篇小說（有190頁），選入現代圖書公司二十世紀百大英文小說（Modern Library 100 Best Novels）與時代雜誌百大英文小說（The All-TIME 100 Greatest Novels）之林。

何以書名是教人莫名所以的「發條橘子」？作者解釋說，只能行善或者只能作惡的人「外表是有機物，具有可愛的色彩和汁液，實際上僅僅是發條玩具，由著上帝、魔鬼或無所不在的國家所操縱。」他也說，"Clockwork Orange"一詞是來自老倫敦人用來形容奇怪的東西，事實上，發條橘子本身是不存在的，只是一個隱喻。經由作者的點破後，小說的精髓要旨就呼之欲出了。

《發條橘子》分成三部，各有7章，合計21章。作者的用意在於，人到了21歲便擁有選舉權（現時世界上大多數國家的投票年齡是18歲），喻示21歲是人類心智成熟的標杆，於是在第21章安排了峰迴路轉、頓悟開竅的情節，從而具備了青少年成長小說的必要架構與元素。但如前所述，此章在美國版的小說和電影均被閹割了。

小說中的主角亞歷克斯，是一個青春叛逆、好勇鬥狠、怙惡不悛的小混混兒，但卻是古典音樂的愛好者。時不時就冒出青少年專用的納查奇語（nadsat），像是布拉提（衣服）、格利佛（頭部)、葉子(鈔票)等等。他嘴上經常叨念著:「接下來要玩什麼花樣呢?」然後,就吆喝孽黨進行「超級暴力」,幹的是搶劫、打架、殺人與性侵的勾當。這些反社會行為(Anti-social behavior)引來警方注意,直到有一次他侵入民宅殺了一位老太婆,遭到獲訊趕來的條子逮捕,解送國家監獄服刑,從此沒了名字。6655321就是他的名字。

監獄是「骯髒的地獄洞」、「人類獸園」,失去自由的亞歷克斯在那兒積極表現出真正悔改的樣子,於是獲得進入國家罪犯改造研究所接受「Ludovico 厭惡療法」[3],除了施打針劑藥物外,並將亞歷克斯綁在椅子上,眼睛繃得大大的觀看聆聽各種噁心殘暴的暴力色情的電影和古典音樂的配樂。他產生噁心、反胃、嘔吐的痛苦感覺,最後因厭惡暴力而失去作惡的能力。這種制約式的折射反應,能夠化惡為善。治療成功的亞歷克斯終於能夠提早回到自由的大世界,不再是一個號碼了。但人民道德選擇權的能力一旦被剝奪,人就成了非人的東西,都變成了機器,成了國家機器操控的棋子。政府的權力無所不在、無孔不入,「完整的極權主義國家機器就將應運而生」,權力帶來形形色色的暴力,如言語暴力、肢體暴力、人際暴力或者如文本中政府對道德選擇的暴力,這是這本小說極力關注、大力撻伐的核心議題。對照今日的社會,依然貼切,於我心有戚戚焉。

回到自由社會的亞歷克斯,他果然不再作惡了。但是事事不如意,家庭、朋友都變了樣,而收容他的作家後來發覺他就是數年前害死妻子的兇手。更弔詭的,他不僅是國家機器操控的棋子，竟也成了反對份子利用來攻擊政府的道具。為求解脫，惟有一死了之，然而從樓上縱身一躍，卻是大難不死，在醫院療傷期間突然覺得他的道德選擇權的能力已然恢復，享有自由意志了。他說，我真的痊癒了。這是第20章最後的一句話。讀到此，吾人不禁開始揣想，下一章是繼續頌揚暴力，拿刀動仗？抑或是讚美善行，立地成佛？第21章選擇了後者，21歲的亞歷克斯選擇成為好人而不是成為強者，選擇追求公義而不是權力。這對於暴力窺視（這也是天性之一啊！）癖者當然是一大挫折，因此認為不應該有第21章。您認為呢？

論者有謂，《發條橘子》讓安東尼・伯吉斯掙得頡頏名輩的地位。這些名輩大家與作品，有如喬治・歐威爾（George Orwell）《1984》、阿道斯・赫胥黎（Aldous Leonard Huxley）《美麗新世界》（1932）、尤金・扎米亞金（Yevgeny Zamyatin）《我們》（1920）以及艾茵・蘭德（Ayn Rand）《一個人的頌歌》（1938）。

我讀我見

我們害怕自己。

一、文本中，提及監獄人滿為患，犯人如若願意接受改造矯正療法，在失去道德選擇權的能力之後，就可以提早出獄，把空出來的牢房用來關政治犯。在《第 7 號牢房》我們看到另一種情況，政府為了節省長期供養罪犯的昂貴開銷，廢除法庭，採行重刑犯的生死交由「全民共投」（按鈕定罪）來迅速決定，於是「如今，我們不講求證據；甚至不管動機。這不是一個司法體系，這只是一個屠宰場，完全開放給貪腐、蒙蔽、賄賂……」、「人們不想知道事實，他們只相信餵給他們的資訊」。最後，造成許多無辜者蒙冤喪命[4]。凡此，不禁讓人想起值得省思的一句話：「社會上最大的暴力，往往來自國家機器的不公不義。」不是嘛？

二、善心與惡念，是一個人出生就具有的的秉性，行善或為惡端在一念之間。文明與野蠻繫於吾人的選擇。清代文學家王永彬（1792-1869）說過：「交朋友增體面，不如交朋友益身心；教子弟求顯榮，不如教子弟立品行。[5]」人類想要有一個美好祥和的未來世界，就是需要有良師益友好父母，來為年輕的下一代樹立高尚的道德情操，庶幾可以臻至「謀閉而不興，盜竊亂賊而不作」的理想境地了。

【延伸好讀】凱瑞依·卓威里（Kerry Drewery），《第7號牢房》，蔡宜真譯，木馬文化出版，538面；21公分（2017. 07）。

注釋

1.參見《維基百科》〈安東尼·伯吉斯〉、〈史丹利·庫柏力克〉。安東尼·伯吉斯的作品中，獲得最高評價的是1980年《塵世權力》。

2.見文本【引言】〈再吮發條橘子〉。另見蘇子惠〈Anthony Burgess 英國小說家、劇作家、評論家及作曲家〉收錄於「英美文學與文化資料庫」，該文有一章節「史丹利·庫柏力克的電影《發條橘子》與第21章出版爭議」，值得參閱。
http://english.fju.edu.tw/lctd/List/AuthorIntro.asp?A_ID=191。

3.厭惡療法（Aversion therapy）是以古典制約理論為基礎的心理治療療法，使被治療者不再產生某種行為，這種療法通常被用在治療酗酒、毒癮、性罪行等。詳見《維基百科》〈心理治療〉、〈厭惡療法〉。

4.凱瑞依·卓威里（Kerry Drewery），《第7號牢房》，蔡宜真譯，木馬文化出版（2017.07）。它描寫一個16歲的女孩，自稱殺了被人民視為偶像和希望的慈善家，她只有7天可活，但諮商師、前法官等人認為事有蹊蹺，為了搶救女孩於是勇敢挑戰由媒體操控民粹，集體獵巫的「按鈕定罪」新制，尋回真正的公平正義。

5.引自王永彬《圍爐夜話》，此書與明代洪應明《菜根譚》、路紹珩《小窗幽記》並稱「處世三大奇書」。見《維基百科》〈王永彬〉。

14 壞人不會有好下場

——好賊

書名：好賊（*The Good Thief*）　317 面；21 公分

著者：漢娜・汀婷（Hannah Tinti）

譯者：盧秋瑩

木馬文化出版（2015.03）

沒有人知道事情會怎麼發展，把所有東西都準備妥當才是上策。

～珍妮佛・夏伯里斯・貝特曼《獵書遊戲》

好奇怪的書名《好賊》，引發我們好奇，既然「賊」是竊盜財物的人，怎麼會有好壞之分？這是一部可以看做是12歲孤兒仁恩（Ren）歷險記的小說。追尋身世真相。內涵滿是瞎掰編造、搶偷騙盜、涉險被創與真真假假，這些別出新裁、繽紛燦爛的有趣情節足以深深地吸引住我們不放，帶來情感上的悲憫、驚懼、疑惑、懸念與歡喜。它也驗證了骨肉親情是多麼教人魂牽夢縈，表白了博愛濟群乃是人類與生俱來的純真善良本性。

孤兒不喜歡生活住在孤兒院，就像老人家不喜歡被送到養老院，因為那兒沒有家的味道。「家意味著與熟悉的人生活在一起，說著彼此能夠理解的語言。[1]」因為，唯有家才有親情溫暖，所以家是一方休養生息的補給站，一處躲難出險的避風港，一座枕戈待旦的堡壘。難怪仁恩第一次被問起「在這個世界上，你最想要的東西是什麼？」他回答:「一個家。」他迫切想要知道他的出身，為什麼沒家，期待擁有溫馨的父親和母親之愛。

故事中，剛出生不久的仁恩遭砍斷左手腕，在一個惡劣的風雨之夜被棄置在聖安東尼修道（孤兒）院，身上沒留下名字，只有一片繡著藍色字母（REN）的衣領。「送他來的人迫不及待想擺脫他」。常有人到孤兒院領養小孩，孤兒們均渴望獲得青睞，想到外頭看看不同的新奇世界。年歲漸長的仁恩也不例外，可惜不會有人看上一個少了左手掌成為殘廢的他，為了安頓撫慰自己的失望，他開始順手牽羊偷東西，凡是被他看到的小東西都偷。「人沒書就成盲目者」，仁恩偷過院方的一本書《聖徒的一生》，他時時捧讀，想著，我要那些神蹟。

直到有一天，來了一位名叫班傑明的年輕人，他要找從小被送到這附近的弟弟，大約11歲。奇蹟發生，仁恩竟然一眼就被選上，命運從此改變了。事後，仁恩說，我們從一開始就找到彼此。他們二人，夥同一位叫湯姆的，展開搶偷騙盜的玩命行程，甚至攜手幹起掘墓賣屍的非法勾當。但班傑明與仁恩心中各另有打算的是，一個想重回傷心地爭回公理，一個要揭開自己身世之謎。

事實上，這二人的困境，皆由心術不正的捕鼠器工廠老闆麥金迪所造成的。麥金迪的妹妹瑪格麗特愛上陌生人班傑明，偷偷生下仁恩，引來他很大的不滿憤怒，因為他深愛妹妹，愛到不許其他人擁有她。麥金迪不僅恨透班傑明，連帶的也恨死仁恩。於是爆發一連串椎心刺骨的悲劇－仁恩不得已被棄養、瑪格麗特受不了折磨和打擊，一死了之。麥金迪認為班傑明必須為此負責，囑咐手下追捕班傑明。

班傑明是小說中的靈魂人物，善於編造自己過往偉大不凡、輝煌燦爛的人生經歷，且說得天花亂墜，教人不由得不信。而且習慣「以不當手法獲取最大利潤，盡快將貨物脫手，迅速閃人離開現場」。一個不務正業且罪名落落長的跑路者，常能掰造故事，幫大家脫身。當麥金迪終於面對班傑明和仁恩的時候，仁恩生動又痛苦地說出他的生父就是班傑明、生母就是瑪格麗特的一段故事後，一場大舅子與妹婿心驚動魄的浴血爭戰於是搬上檯面。壞人麥金迪終究沒有好下場。

「當你再也聽不下去的時候，你所聽到的就是真相。」班傑明曾對仁恩這麼說。意味深遠雋永，耐人尋思體會的一句話。

小說末尾，原名雷金納德・愛德華・麥金迪（REM）的仁恩繼承了舅舅麥金迪的財產，可是卻遍尋不著他的父親－班傑明。班傑明繼續跑路，神隱，杳無人蹤，雲深不知處。此時，仁恩恍然大悟班傑明的一切作為，受了那麼多的苦難，全都是為了他。他們父子日後會再團圓樂敘天倫嗎？

文本中處處有伏筆，留下蛛絲馬跡，為往後的情節發展預做鋪陳，前後因果關係就連貫起來。因而，對於成為伏筆的那句話的推敲設想，是閱讀本書的樂趣之一了。此外，小說中每個腳色，例如湯姆、陶利、山德斯太太和侏儒都各有一身栩栩如生、活靈活現與彰顯大愛的精彩故事，就是這樣，令人回味無窮。

漢娜・汀婷（美國籍）花了6年的時間，才完成《好賊》這一部長篇小說，內中情節有不少是來自她自己的親身經歷。此書於2008年出版後，獲得廣泛好評與名家推薦，也得到不少獎項。值得我們花一些時間讀它多遍。除了《好賊》，漢娜・汀婷尚有短篇小說集《動物怪譚》問世。

我讀我見

不要有框框。

一、仁恩跟著班傑明等人搶偷騙盜之餘，卻也學會去關愛同情別人，遵守承諾，努力做對的事，這就是成長、成熟的表徵。《祕密花園》[2]裡有句話說：「有兩件最糟糕的事是小孩最怕碰到的，一件是不讓他隨心所欲，另一件是任他為所欲為。」人類共同生活時，有一套必須遵循的規範和準則，而不是一心想著「只要我高興有什麼不可以」，我行我素無視他人的存在、感受，做了錯誤的選擇，勢必引惹禍端。

二、「在這個世界上，你最想要的東西是什麼？」文本中班傑明數次問起仁恩，一個家、一個橘子，甚至被砍斷的手腕，都是仁恩的答案。每個人心目中都有自己想要追找的聖杯，不妨問問我們自己，你最想要的東西是什麼？得到之後，接下來呢？希望，千萬不要放棄一次又一次的追尋。

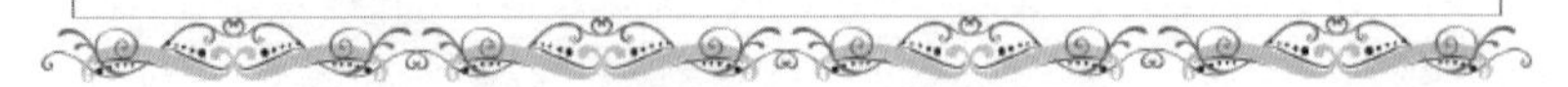

【延伸好讀】法蘭西・霍奇森・伯內特（Frances Hodgson Burnett），《祕密花園》（*The Secret Garden*），聞翊均譯，野人文化出版，334面；22公分（2016.08）。

注釋

1.阿諾・蓋格《流放的老國王》，錢俊宇譯，商周出版（2012.04）。

2.法蘭西・霍奇森・伯內特《祕密花園》，聞翊均譯，野人文化出版（2016.08）。另一版本，柔之譯，力村文化出版（2012.04）。原書出版於1909年，是一部相當知名的青少年小說，描述一位任性率真的女孩和一位稱病暴躁的男孩，如何使一座塵封荒廢的花園甦醒過來，連帶地改變了自己，開始對生命珍惜，對未來充滿希望。有評者視為「最美的自然文學，自然文學中最療癒的心靈魔法，《祕密花園》是一把鑰匙，解開憂鬱的枷鎖，釋放奇蹟。」

荷頓絕不會同意的

——麥田捕手

書名：麥田捕手（*The Catcher in the Rye*） 284 面；21 公分
著者：沙林傑（J. D. Salinger）
譯者：施咸榮、祈怡瑋
麥田出版（2014.03）

對於你的朋友，你是新鮮的空氣、孤獨、麵包和藥物嗎？好多人不能掙脫自己的枷鎖，卻能做他的朋友的解放者。

～尼采《查拉圖斯特拉如是說》

《麥田捕手》1951年出版，獲得了很大的成功，尤其受到青年人的熱烈的歡迎，因為它道盡年輕人的心聲。沙林傑（1919-2010）就此一舉成名，他創造並送給我們—荷頓·考爾菲德。一個不是慣於討好賣乖的青少年。荷頓口中往往大撂粗話—狗雜種婊子混帳卑鄙偽君子勢利鬼窩囊廢傻瓜蛋他媽的，而且也會抽菸、喝酒、幹架，甚至召妓。至若說謊瞎掰更是在行，「我一開口，只要情緒對了，就能一連胡扯幾個小時。」當時美國許多圖書館及學校列為禁書，後來卻成了學校指定讀物，還獲列二十世紀百大英文小說。有評論家說，它「大大地影響了好幾代美國青年」[1]。

荷頓期待長大後做個麥田裡的捕手（catcher，或譯守望者），守護那些天真無邪的孩童不要靠近「那混帳的懸崖邊」，要是有哪個孩子往懸崖邊狂奔而去，「我就把他捉住（catch）」[2]。書名來由在此。這意味著，原本單純潔淨的孩子在成長過程往往會迷失方向，掉落虛情假意又裝模作樣的成人世界，荷頓試圖讓自己成為一個搶救者，來阻止不幸的發生。如此看來，荷頓非只是泛泛的憤世嫉俗、玩世不恭之人，他還懷有遠大的淑世理想呢。

這本書以荷頓・考爾菲德的眼光視角、青年人流行字彙來批判指摘這個假情假義、虛偽欺瞞的成人世界。書中荷頓・考爾菲德不肯好好用功，被退學。他只有16歲，已經換了四次學校。離校之前，懷疑室友與其女友幽會，憤而與室友大幹一架掛彩。荷頓想避避風頭，等待父母親坦然接受退學的事實後才回家，此外自己也想要有個小旅行，讓自己釋放一下沮喪煩悶的情緒才不至於抓狂，於是蹺家隻身一人跑到紐約遊蕩了3天。經歷奇妙的3天。他住進旅館，逛夜店舞廳酒吧，找人喝酒，也打電話約人見面。

小說凸顯主人翁荷頓憤世嫉俗、叛逆輕狂的特質，就如小妹菲比說：「你不喜歡千百萬樣東西。」他眼中所見、耳裡所聞的一切幾乎都讓他發狂，包括最糟糕的學校、校長是個裝模作樣的飯桶，甚至，還批評父親的律師行業，引來菲比老妹：「爸爸會要你的命。」他很希望這是一個真心實意、人們彼此信任的世界。

荷頓嘗說：「我這人沒什麼文化，不過書倒是看得不少。」他並非不學無術之輩。他最最喜歡的小說是費茲傑羅《大亨小傳》，卻認為海明威《戰地春夢》是一本裝模作樣的小說。這應當是《大亨小傳》同樣是在鞭撻惡人，諷刺頹廢消極的社會，因而大有吾道不孤之慨吧。在荷頓心目中，老哥 D. B.本來是個很棒的短篇小說作家，後來跑到好萊塢寫電影劇本大賺其錢，讓荷頓很生氣，認為是在作踐糟蹋自己。荷頓有個早夭的小弟艾利，遺留下一個寫滿詩句的壘球手套，荷頓對他有無盡的愛和懷念。另有一個他放心不下的10歲小妹菲比，她很可愛，因此偷偷告訴她要到西部獨居、小屋就蓋在樹林旁邊，但是萬萬沒想到她竟然拖著行李箱也要跟他一起蹺家出走。

書中有部分描述荷頓的情節，事實上就是沙林傑本身的投射。諸如，不順遂的求學生涯、討厭電影（或寫電影劇本）、女友移情別戀、痛恨戰爭、嚮往遠離塵囂隱居山林的生活。故事基調灰暗悲涼的《麥田捕手》不是以情節離奇曲折取勝的小說，但是它燭照也譏刺成人世界的幽暗，直率有力的言語教人滋生心驚的共鳴和震撼。不僅引起眾多成年讀者的矚目，更在廣大青少年讀者瘋傳。它不只屬於那個時代，而且是屬於下個時代，一部讓人回味無窮的經典小說。

約翰・薩德蘭（John Sutherland）認為這本小說是「最完美、最清楚掌握現代美國聲音的小說。」也指出，文本開場的漂亮第一句話：「你真的想聽我說故事嗎？」值得我們去讀並「聽」，感受一下它的挑釁的意味[3]。那句開場白，單從字面看既可以是挑釁也可以是乞求，但出自桀傲不馴的荷頓・考爾菲德的口中，應當是挑釁而非乞求了。

終其一生，沙林傑拒絕出賣電影劇本版權。不過，最近以肯尼斯・史拉文斯基（Kenneth Slawenski）的《J. D. 沙林傑：他的一生》為腳本的電影開拍了，如果性情孤獨怪僻的沙林傑還在世，想必會反對到底。電影中的一句台詞：「我想過了，我一個字也不會改。荷頓絕不會同意（Holden would never approve.）。[4]」亦可見沙林傑非常執著肯定於自己著作的一字一句，不容有任何增刪修補。嘿！擲地有聲的：荷頓絕不會同意！

我讀我見

我跟我自己。

一、朋友路斯一再問荷頓：「你他媽的到底什麼時候才能長大？」隨著年齡增加，我們也會跟著長大，不再青澀幼稚，變得世故圓融，不僅具備理性也懂得盤算，不再是「吳下阿蒙」，別人或許已不認識現在的你。同時，我們亦發現周遭的世界在崩解，核心價值在翻轉。際此時刻，該問問自己：「我是誰？我該怎麼過我的人生？」抑或「我今天做好了什麼事？」然後肯定自己的選擇，不斷地自我超越，朝氣蓬勃，就像尼采說的：「每一個不曾起舞的日子，都是對生命的辜負。[5]」

二、讀《麥田捕手》將會讓大人從夢中驚醒，意識到青少年的心境開始發生巨大的變化，也會開展全新的思考視野來看待一切。身為上一代的人該秉持同理心，設身處地，學會傾聽、傾聽、再傾聽，不是單單從想像的自我尋求安慰和解方。

【延伸好讀】史考特・薩繆森（Scott Samuelson），《在生命最深處遇見哲學》，黃煜文譯，商周出版，335面；21公分（2016.03）。

注釋

1.見《維基百科》〈麥田捕手〉〈J. D. 沙林傑〉。

2.典故出自羅伯特・伯恩斯（Robert Burns, 1759-1796）寫的一首詩「要是有個人在麥田裡『遇』到了一個人。」荷頓聽到一個小孩唱著那首歌：「要是有個人在麥田裡「抓」到了一個人。」不過，他聽錯一個字，把「遇」聽成「抓」，後經菲比指正。

3.約翰・薩德蘭（John Sutherland），《文學的40堂公開課：從神話到當代暢銷書，文學如何影響我們、帶領我們理解這個世界》，章晉唯譯，漫遊者文化出版（2018.01）。按，中文譯本起首的第一句話是：「如果你真想知道這個故事，……」。

4.見王麗娟譯，〈菜鳥導演的野望　拍攝成名前沙林傑〉，聯合報（紐約時報賞析 D2，2016.07.31）

5.張笑桓，《咖啡館裏遇見尼采》，風雲時代出版（2016.04）。史考特・薩繆森，《在生命最深處遇見哲學》，黃煜文譯，商周出版（2016.03）。此二書可以做為我們處世哲學和修身準則的參考讀物。

每一個人自己就是一座圖書館

——華氏451度

書名：華氏 451 度（*Fahrenheit 451*） 255 面；21 公分
著者：雷・布萊伯利（Ray Bradbury）
譯者：徐立妍
麥田出版（2015.11）

> 帷有連接在同一條繩子上的登山隊員才稱得上是夥伴，他們一起爬向映照在他們心中的同一座高山。
>
> ～安東尼・聖修伯里《風沙星辰》

雷・布萊伯利（1920-2012）美國人，科幻、奇幻與恐怖小說家。一生一共創作了27部小說和近600篇短篇小說，其作品是美國學校的語文課本教材。《火星紀事》（1950）及《華氏451度》（1953）是最為知名的代表作。2012年，美國國家航空暨太空總署（NASA）將火星探測車好奇號登陸地點命名為布萊柏利（Bradbury Landing）。美國前總統歐巴馬（Barack Obama, 1961-）：「（他）重塑了我們的文化，擴展了我們的世界。」太空中，還有一顆小行星是以他之名命名呢[1]。

華氏451度（攝氏232.8度）是紙的燃點。書名引人遐想，耐人尋味。

出版於1953年，已逾半世紀的《華氏451度》，迄今仍是一本廣受歡迎的反烏托邦式（dys-topians）經典小說。小說中有引人入勝的動人情節，並且闡述「書」存在的重要性，作者也預測到了未來科技產品的進展，將會侵入人類的生活圈，人類享受方便之餘，人跟人之間卻也會滋生隔閡，同時更會受到箝制與威脅。文本中出現不少的科技產品，包括如今我們所謂的電視牆、平板螢幕（可攜式電視）、iPod（貝殼耳機）、自動櫃員機 ATM（徹夜服務的銀行機器出納員）、手機（能用來彼此交談的綠色子彈耳機）和機器人（具有靈敏嗅覺且牙齒會彈出麻醉藥針的機器獵犬）等。在50年代能夠憑空構想出這一些東西，的確是令人難以置信，油然而生敬佩之心了。

讀這本小說，讓我們想起歷史上秦始皇採李斯之議，以焚書與坑儒來消滅異己。在人類文明發展歷程，可以看到獨裁專制者為了統一思想鞏固權力，不惜頻頻大動干戈去管制書本或言論自由，迫害知識份子，讓人類文明陷入黑暗期。書本記載知識、傳遞智慧，人類文明是靠著閱讀而進步的。如果有一天圖書館裡空無一物，沒有書本，剩下的將僅是一個空洞的軀殼，人類心智也必定停止運轉。因此生活在一個不能擁有書本，打火員手裡拿的是火焰槍燒書焚屋，而不是噴水管滅火弭災的國度，將會是一樁多麼悲哀恐怖的事。

書中主角蒙塔格就是個為虎作倀，已經燒書十餘年的打火員，生活上百無煩憂卻過著很不快樂的日子。有朝一日他突然覺醒了，原來是人過日子絕對不能缺少書，要快樂就要有書，需要書中記載的內容來幫忙。於是，他違反律法偷偷地藏書、讀書、吟誦，但被人舉發了。令人深感有趣的是，作者另亦很巧妙塑造了一群「書人」以為反制，他們是一群流亡的知識份子，他們每一個人腦海裡都藏有一本經典名著，每一個人自己就像是一座圖書館[2]，他們在等待戰爭結束，黎明再起，就把書傳給下一代。遭到通緝，逃躲追殺的蒙塔格在樹林中巧遇了他們，後來也加入這一行列，他腦海裡裝的是《傳道書》。

本書除了小說主體的三個篇章外，尚有當代奇幻大師尼爾・蓋曼的一篇精彩〈導讀〉(2013年4月)，以及作者自己寫的〈後記：投入一角硬幣後〉與〈尾聲〉。在〈後記：投入一角硬幣後〉(1982)，其中有幾段很動人有趣的情節描述，十足像是原來小說的補白（補遺？），作者雷・布萊伯利以此回應並寬慰了大家多年來對故事中一些人物的評論與懸念。然而作者覺得仍然應該維持小說三十餘年前的樣貌，沒把那些文字放入小說裡，他義正詞嚴說：「我不認為應該介入修改任何一名年輕作家的作品，更遑論那名作家還是我曾經的自己。」。

讀者自己可以多面向銓釋本書的內容和主題，可能就是這一部小說的賣點，例如作者受訪時，堅定表示：「人們誤解了，事實上說的是電視摧毀扼殺了人們閱讀文學興趣的故事。」但很多人覺得故事的真諦，在於控訴政府管控思想言論的不當。此外，打火員的職責不是滅火而是焚書，這種有違一般認知、脫離常軌的奇妙安排與鋪陳，則是這一部小說的亮點。作者更說，他是「未來的阻止者，而不是預測者」，他不相信焚書殺人是未來的必然，但想警示相關的發展。偉哉斯言。它，讓我們一路讀來就沐浴在陽光、生命和靈犀的驚奇世界之中。

我讀我見

每個人都有自己的苦。

一、文學家筆下的桃花源或香格里拉[3]，是與世隔絕、虛幻浪漫又不存在的。政治哲學家又是怎麼描繪心目中的理想國（utopia 烏托邦，字面原意是好地方）？什麼樣的國家社會經濟政治制度，才會是人間樂土？在孔子的〈禮運大同篇〉、柏拉圖（Plato, 427-347B.C.）的《理想國》與湯瑪斯・摩爾（Thomas More, 1478-1535）的《烏托邦》，可以讀到他們描述的理想境界，不過在真實的世界還難以找到這種理想型的國家[4]。

二、人都會選擇。對於泯滅人性倒行逆施的暴政，有人或者選擇順從，但蒙塔格的選擇是反抗，偷偷讀書，當然也因此而付出慘痛代價。「我們可以透過小說體驗人生哲學，也就是學習小說人物的生存方式。[5]」文本中諸多人物的行止，無不是一面鏡子，足供我們觀照反省。

【延伸好讀】松本幸夫，《我在包裡放本書——能幹的人、聰明的人、有自信的人，都怎麼看書》，劉錦秀譯，大是文化出版，239面；21公分（2012.11）。

注釋

1.參見《維基百科》〈雷・布萊伯利〉。

2.語出波赫士（Jorge Luis Borges）《波赫士的魔幻圖書館》：「隨著歲月流逝，我們腦海中會形成一座與眾不同的圖書館，……。」王永年、林一安等譯，台灣商務印書館出版（ 2016.12）。

3.桃花源，見陶淵明〈桃花源記〉。香格里拉，見詹姆士・希爾頓（James Hilton）《失去的地平線》，陳蒼多譯，新雨出版（2006. 01）。

4.有趣的是，有本歷史小說說過一句話：「畢竟烏托邦不是人住的地方」，這倒是值得我們反思咀嚼。見希拉蕊・曼特爾，《狼廳》，廖月娟譯，天下遠見出版（2010.06）。

5.參見松本幸夫，《我在包裡放本書——能幹的人、聰明的人、有自信的人，都怎麼看書》，劉錦秀譯，大是文化出版（2012.11）。隨身帶本書，以輕鬆與有目的和高效率的閱讀法讀書：變形蟲閱讀法、一心兩用法、軟硬書交錯法、黃金時間法、反骨式閱讀法。作者也說，工作有關的書，瀏覽便足夠；經典文學、名人傳記或自己買的書，請精讀。這本書的內容，讓人眼睛一亮，我們或可從中學習並修正自己以往的讀書方法。輕鬆又有趣地閱讀。

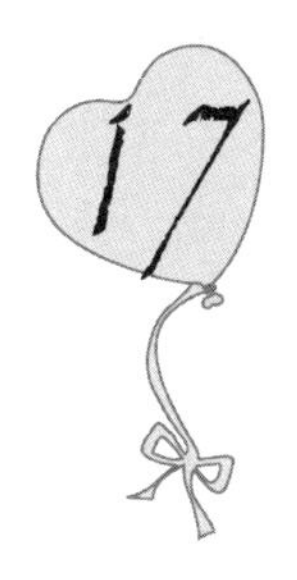

選擇的自由，自由的選擇

——法國中尉的女人

書名：法國中尉的女人（*The French Lieutenant's Woman*） 543 面；21 公分

著者：約翰・符傲思（John Fowles）

譯者：彭倩文

皇冠出版（2006.02）

嚴肅對待自己作品的作家，知道人物角色需求生命與存在，才驅使一本書的誕生，而非那些原創的小說情節。

～大衛・拉格朗茲《圖靈的毒蘋果》

有「哲學小說家」美譽的英國作家約翰・符傲思（1926-2005），除了這本《法國中尉的女人》（1969）外，我們還會想起他早先的作品《蝴蝶春夢》（或譯《收藏家》）（1963）和《魔法師》（1966）。當中《蝴蝶春夢》是他廣為人知的成名之作，後來且改編拍成同名電影。《法國中尉的女人》，則是最為人所稱道、最具影響力的，榮列二十世紀百大英文小說經典之林[1]。符傲思致力於新小說寫作方式和技巧的實驗嘗試，被推崇為後設小說大師，他的作品「極富文學性同時又膾炙人口」，已成為世界各大學英語系與文學系學生的必讀書，在文壇上具有舉足輕重的地位[2]。

讀這本發生在1867年英國維多利亞時代的故事，一定會被符傲思另創一格的嶄新敘事手法，以及他恰到好處的旁徵博引（全書61章的起首引文合計有80條、共有183個註釋）而折服不已。當中，有歷史、文學、藝術、政治與地理環境的知識，也有愛情小說必備的角色性格的精彩刻劃，恩怨情仇與峰迴路轉、高潮迭起的情節，更有豐富的思想觀點正反辯證。特別是，這部小說出人意表地安排了三個不同的結局，供讀者選擇自己的所愛。對於存在主義哲學情有獨鍾的符傲思，在這部小說也將此一哲學的精髓融入，具象化。

文本的主述者，我，由「我」觀察敘說一則一百多年前的愛情故事－查爾斯與沙拉的羅曼史（romance）。「我」也常自言自語抒發己見，甚且直接與讀者交談對話。或者，作者化身書中的一個人物。這種敘事手法，很特殊，很少見。

小說的開頭，引用英國作家哈代（T. Hardy, 1840-1928）〈謎〉:「……，她總是傲然佇立……；獨自面對汪洋，……。」預示沙拉・伍若夫就是一位帶有神祕、孤獨、悲傷與憂鬱色彩的女子。不同凡響的女人，有著超越傳統的不凡智慧和膽識。她身上流著顛覆傳統、追求自由的叛逆血液，對社會懷有怨恨和不滿。為了反抗，她不惜把自己陷於困境，甚至是絕境。她明明仍保有處子之身，卻謊稱已委身於因船難獲救的法國中尉華歌尼，不明就裡的村民視為淫蕩、罪惡，是冒犯鄉下習俗的萬惡罪行，令人不齒。這是一個「悲劇」。更替她取了一個很難聽的名字「法國中尉的女人」(法國佬的婊子)。此一罵名，讓沙拉承受非常大的痛苦，引來嚴重的憂鬱症，以致醫生葛羅根認為應該把莎拉送進精神病院，但是查爾斯不以為然，他想方設法要幫助她。

當偕同未婚妻蒂娜來到來木鎮訪親度假的查爾斯出現在沙拉眼前，一場曲折多元的愛情悲喜劇，就此緩緩拉開序幕了。查爾斯三十二歲，身為准男爵的後裔，教養良好，是《物種起源》達爾文（C. R. Darwin, 1809-1882）的信徒，對古生物研究感興趣，酷嗜採集化石。他怎麼會被一個家徒四壁、無親無故，而且是一個「聲名狼藉」的女人、一個「精神失常」的女人所牽引？以下引文，表達出了查爾斯內心深處的呼喊：「吸引他的並不是莎拉這個人—怎麼可能呢，他都已訂婚了—而是某種情感，某種她所象徵的可能性。她使他意識到他被剝奪的一切。」的確，幾次的不期而遇讓他們兩人相互吸引，互生情愫，就如天雷勾動地火。「他心目中的自由生活，就是與她（莎拉對他來說是自由的化身）一同攜手浪跡天涯。」

然而後來的一次約會，卻被僕人山姆撞見了，很不幸地留下供他利用、要挾的把柄，再者，他也會偷拆或者截留信件，給查爾斯帶來災難。山姆是個不老實的奸僕，雖然地位卑微（主敘者就說過，誰會有興趣去寫一本僕人的傳記呢？）但在小說中他卻扮演了很重要的腳色[3]。查爾斯的另一個不幸是，他喪失了家族的財產繼承權，逼使他不得不在準岳父富商佛利曼前低聲下氣。

開放式的結局，是這本小說最獨特的地方。選擇的自由，自由的選擇。作者沒忘給了讀者有選擇的機會，他提出三個可能的結局。第一個看起來是「舊愛最好」的結局，查爾斯還是下定決心跟蒂娜結婚並生子，有了豐厚的嫁妝收入，不得已開始跟著老丈人在商業圈打滾，也做出成績了。這很像是通俗劇呢。莎拉？她的影子永遠留在查爾斯的記憶中，不會抹滅消失。

第二個就是「柳暗花明」的結局，它的情節顯得劇力萬鈞，扣人心弦。莎拉仍是處女，她對查爾斯坦露心聲，查爾斯經過屈辱的談判解除了與蒂娜的婚約，但接著莎拉又音訊杳然，後來，費盡千辛萬苦再次與莎拉重逢時，才發覺她已替他生了個女孩，骨肉重逢，激動莫名。「在這雙手交握，相依相偎的靜默時刻中，我們才恍然明白，唯有愛，才能撼動時間的藩籬。」第三個好像是「流水無情」的結局，他們兩人好夢難圓。「要是我明明知道，我不能像妻子愛丈夫那樣愛你，卻還答應嫁給你，這樣我不是更自私嗎？」查爾斯憤恨難消，幸好他沒有輕生之念，他向現實屈服，學會坦然接受自己的命運。他會再重新出發。在第二與第三個結局，看得出查爾斯是受到莎拉的強勢主導並轉化，他們一起衝撞世俗的桎梏樊籠，為的是要有選擇的自由，也許這就是約翰‧符傲思所要的世界！

這本小說值得仔細精讀、慢慢品賞與用心推敲，讀出包裹在愛情故事的糖衣之下所蘊含的核心意涵，像是對宗教、階級、婚姻、財富的顛覆嘲諷與女權、自由的爭取支持。這一些都是亙古的習題，因而經典之作《法國中尉的女人》讀來歷久彌新，足以滋養世人的貧瘠心靈。它不會被掃進淹沒在歷史的灰燼之中。

我讀我見

錯誤的期待。

一、文本末尾說，生命不是一場只下錯一次注就全盤皆輸的賭局，雖有空虛絕望，但必須默默忍受，「然後再重新出發，投向那深不可測、阻隔一切的鹹澀海洋。」在菲卓・派崔克《金色幸運符》，我們就看到一個重新出發的好例子—亞瑟不幸遭逢喪妻之痛，但他破繭而出，試著往前走。找到一絲自信。書中有句話，很有意思：「我每遇到一個人，每聽一個故事，就覺得自己彷彿在改變，在成長。其他人遇到我，說不定也有一些收穫。[4]」

二、查爾斯為了愛，為了找到莎拉，不惜花錢大登尋人啟事。查爾斯當下的想法，應該是「感覺有個大洞必須想辦法填補起來，即使會聽到我不喜歡的事。[5]」或者抱持著回教典籍：「山不來就我，我便去就山」。他的希望終究實現了。為了不留下遺憾，我們必須窮盡所能、忍受折磨與不計後果去做自己認為是對的事，當然也要學著應該把某一些事情留在過去。

【延伸好讀】菲卓・派崔克（Phaedra Patrick），《金色幸運符》（*The Curious Charms of Arthur Pepper*），謝靜雯譯，精誠悅知文化出版，375面；22公分（2017.04）。

注釋

1.見《維基百科》〈二十世紀百大英文小說〉（按，在讀者票選名單列第30名）與〈時代雜誌百大英文小說〉。

2.見《法國中尉的女人》書封折頁〈關於作者〉。

3.在狄更斯（Charles John Huffam Dickens, 1812-1870）《匹克威克外傳》（*The Pickwick Papers*）中，匹克威克的侍僕也稱山姆，他機智多謀勇敢幹練，屢屢為主人解圍排難。《法國中尉的女人》中的侍僕山姆，則是為錢背叛了查爾斯，不過，後來良心發現，當他意外獲知莎拉的行蹤，就暗中告訴了查爾斯的律師，終於讓查爾斯找到了莎拉。另按，《匹克威克外傳》出版於1836年而非1867年，文本第61頁譯註第35似有誤植。

4.見菲卓・派崔克（Phaedra Patrick），《金色幸運符》（*The Curious Charms of Arthur Pepper*），謝靜雯譯，精誠悅知文化出版（2017.04）。書中主角亞瑟，妻逝鰥居，讓他生活失去色彩。無意中找到一個幸運手鍊，好奇心驅使他開始追尋幸運手鍊上的八個幸運符背後的故事。溫馨、勵志且驚險有趣的《金色幸運符》是派崔克的處女作，它獲得很好的口碑和評價。

5.同上注。

18 別灰心，有失必有得

——無人地帶的製圖師

書名：無人地帶的製圖師（*The Cartographer of No Man's Land*）
348 面；21 公分
著者：P. S. 達菲（P. S. Duffy）
譯者：謝佳真
時報文化出版（2015.06）

> 不輕易善罷甘休。這似乎才算得上英雄人物的生命哲學。
>
> ～E・羅哈特《騙徒》

戰爭是用血汗和生命堆砌成的。戰爭改變一切。以第一次世界大戰[1]為背景的這本小說，描繪戰爭的醜陋和恐怖，但也述說凡人的信念智慧與勇氣。文本中，有一句話說得很好，「上帝安排這個舞台，只為了成就這一幕戲—好提醒我們在最黑的暗夜裡，光明仍然存在。」凡事都看光明面，或許就是作者苦心積慮想要傳送的一項訊息。

安格斯在法國的前線，安格斯不在家時的加拿大故鄉，返鄉之後的安格斯，是故事的三個發展空間，彼此穿梭交串而鋪陳出一則宏偉動人，值得花時間一讀的故事。安格斯之所以從軍，並非有「從德國蠻子的手中救回世界」的崇高偉大抱負，很單純的一個信念就是為了要找到士兵艾賓．韓特，他的大舅子。而且，他想的是，到倫敦當個繪製地圖的軍人，這樣就可以在後方搜尋艾賓下落，不致讓自己承擔丟掉性命或缺手斷腳的風險。所以，他從來沒有想過自己必須上前線作戰殺人，更沒有想過自己真的會在戰場找到艾賓。

然而，由於陰錯陽差，安格斯的的確確成了加拿大遠征軍的一分子，被派往法國前線拿槍作戰。置身兵凶戰危之境，親睹戰事慘烈，槍林彈雨，血肉橫飛，顛卧戰壕，咻噢呻吟，生死只是俄頃之間。根據官方的說法，艾賓已被宣告死亡，但沒有找到屍體。安格斯甚至想著，艾賓可能就是一介匿藏在某處的逃兵？靠著小男孩保羅的指引，他終於找到了艾賓，不過此人堅稱自己是「哈弗斯」上等兵。傳奇人物「哈弗斯」英勇驍戰，歷經數次戰役，毫髮無傷，被視為神。但在一次與安格斯一起出任務時，「哈弗斯」連同幾位同袍壯烈犧牲，安格斯自己不幸也失去右臂，「哈弗斯」的傳奇亦戛然而止。

安格斯離家從軍期間，家鄉的父親鄧肯、妻子赫蒂和兒子賽門，以及德裔的海斯特等人也各自有迥然不同的際遇。例如，赫蒂勇敢承受艾賓戰死和安格斯廢了右臂的傷痛，獨自扛起家裡的重責大任，成為商場上的女強人；13歲的賽門，挺身捍衛海斯特老師，和平主義者鄧肯亦不遑多讓，他們都不認為海斯特老師會是叛國賊。迨至傷殘的安格斯被送回家，又是另一個變局。兒子賽門因他不願協助搶救海斯特，疏離了安格斯。而關在監獄的海斯特，原本是萬念俱灰，直到有了新朋友保護他，這給他活下去的勇氣。賽門，曾自以為了解父親和海斯特，其實從來都沒有，他們皆是陌生人，他牢牢記取教訓。

戰爭改變了一家人的命運，唯一沒有變的是，安格斯對賽門滿滿的愛。

「碑石會崩毀、姓名會淡去，沒人會記得，只有詩人幫助我們其他人記住我們不敢說的事。」

作者在戰場上塑造了一位傳奇的「哈弗斯」，替小說帶來懸疑和高潮，的確是高明的安排。此外，作者在「作者小識」寫道：「以重大歷史事件為題材的小說必須仰賴現行的史料，同時借助那個時代的觀點。」因此，她研讀相關典籍和回憶錄、造訪博物館與歷史遺跡，再加上一己的想像虛構，才寫成這本精彩醉人的小說。由此觀之，一位作家下筆之前，必定是謹慎且要做足功課。

揣想戰爭爆發，硝烟四起屍體堆疊的恐怖景象，它是人類文明世界的一首悲歌。難道開槍殺人有趣嗎？絕對不是，那是非常不理智而且瘋狂的行為。我們都希望友善與和平，厭惡戰爭和殺戮，祈求所見到的是一片熱鬧繁榮的太平場景，並且人人藉著欣賞文學、視覺和表演藝術等等，靈魂受到滋潤，感受到快樂、憂愁、滿足、懷舊、激昂等等諸種情緒的激盪，生命變得更豐富。

惟有河清海晏，偃武修文的太平盛世才能給藝術家帶來生存的空間，成為藝文發展的溫床，就如顧爺（顧孟劼）說的：「在人類歷史中，只要是太平盛世，藝術都會振興。……人一旦能夠吃飽肚子，就會開始閒不住，然後發展藝術。[2]」不要輕啟戰端，爭議就上談判桌解決吧。

作者 P. S. 達菲一直在神經科學領域工作並撰寫稿件，但同時也從事創意寫作。《無人地帶的製圖師》雖然是 P. S. 達菲的第一部小說，然其成就教人折服。

我讀我見

沉默的嘶吼。

一、傅佩榮《荒謬之外－卡繆思想研究》[3]認為，生存於天地之間，人需要信念、智慧與勇氣。「如果我們找不出死亡的意義，又怎麼找出生命的意義？」我們看得出文本中的諸多人物，如艾賓、安格斯、海斯特、赫蒂和賽門皆各有不同的信念，相信自己肩負某種使命，促使他們邁步往前走。小說中的人物，喚醒我們對生命的意義重新審視，該怎麼去做生命才是有意義和價值。

二、書中提到，「一個人究竟要怎樣，才會萌生奪取別人性命的願望。」、「要《伊里亞德》或《奧德賽》[4]－要特洛伊戰爭，還是還鄉？」在殘酷的血淋淋戰場上，大多的戰士想必都希望趕快結束殺戮，還鄉過著平安的日子。和平，應該就是「羔羊跟獅子躺在一起」美好境界，捍衛和平雖是艱難但卻是值得努力去做。

【延伸好讀】顧爺（顧孟劼），《世界太 boring，我們需要文藝復興：9位骨灰級的藝術大咖，幫你腦袋內建西洋藝術史》，原點出版，254面；23公分（2018.03）。

注釋

1.因塞拉耶佛事件而掀起的第一次世界大戰（1914年7月28日至1918年11月11日），戰場主要在歐洲，是協約國（英法等）與同盟國（德奧土等）之戰。加拿大為大英國協的成員之一。

2.顧爺（顧孟劼），《世界太 boring，我們需要文藝復興：9位骨灰級的藝術大咖，幫你腦袋內建西洋藝術史》，原點出版（2018.03）。文藝復興指的是，在中世紀後期（十四世紀至十七世紀）發源於義大利中部的佛羅倫斯的文化運動。此書介紹了9位獨領風騷，名垂不朽的藝術大師和其偉大的作品。文圖並茂，美不勝收。它包含如文藝復興之父喬托（1267-1337），文藝復興三傑米開朗基羅（1475-1564）、達文西（1452-1519）與拉斐爾（1483-1520）等我們耳熟能詳的人物。作者亦莊亦諧地描述這些大師的藝術作品的創作背景、蘊藏的意涵，以及對後世的影響。賞心悅目，很不錯的一本西洋藝術史入門書。

3.傅佩榮，《荒謬之外—卡繆思想研究》，九歌出版（2015.07）。

4.盲詩人荷馬的《伊里亞德》與《奧德賽》，是重要的古希臘文學作品，在情節上具有上下集的關係。前者詮釋了整個特洛伊戰爭；後者主要講述希臘英雄奧德修斯（羅馬神話中，稱為「尤利西斯」Ulysses），返鄉之路歷經波折，耗費10年才回到家。參見《維基百科》〈伊利亞德　〉、〈奧德賽〉。

打破框框，走出樊籠

——第22條軍規

書名：第22條軍規（*Catch-22*）　629面；21公分
著者：約瑟夫・海勒（Joseph Heller）
譯者：楊恝、程愛民、鄒惠玲
星光出版（2003.03，二刷）

想要從一無所有發展到偉大，最自然的辦法就是忘記一個人是一克，並牢記一個人只是一噸的百萬分之一。

～尤金・薩米爾欽《我們》

1961年出版的抗議小說《第22條軍規》是美國小說家、劇作家約瑟夫・海勒（Joseph Heller, 1923-1999）的代表作，它取材於二戰時自己擔任 B－廿五轟炸機轟炸手的經歷。時際美國國內反越戰風起雲湧的年代（1960-1970），《第22條軍規》在全美各地的青年學生中引起了強烈共鳴，一時洛陽紙貴，流傳甚廣。這一部諷刺文學的經典小說，在二十世紀百大英文小說（Modern Library 100 Best Novels）編輯小組評選名單列第7名、讀者票選名單列第

12名[1]，足見其文學地位與價值非凡。

此書分成42章，厚達629頁，捧在手上沉甸甸的，確是讓人真實感受到文字（或是紙張？）的重量。心裡不禁揣想著，這麼厚的一本書早已教人望而卻步，何況還要地毯式地閱讀？會不會讀沒幾頁就因為乏味無趣而束之高閣？說真話，剛好相反。它的文辭寬宏奔放，對白處處機鋒。揉合悖論（paradox）與詭辯（sophism）之精髓，諷刺荒誕謔而不虐，敘事說情飄灑自在。讀來逸趣橫生，忍俊不住，餘韻無窮，令人難以釋卷，不知東方之既白。

小說的筆調既是喧鬧混亂，也是憂鬱深沉。它的主題，在於幽默嘲諷一個滿是哄騙、威脅、發瘋和誘惑的美國陸軍航空軍－二戰末期他們駐紮在地中海皮亞諾薩島。唯利是圖的偏執心導致士氣的骯髒、腐敗與墮落。表面上，它抗議的對象直指美軍高層人員；骨子裡，不也劍指泛社會上的掌權者？

全書眾多人物中，最引人注目的當屬 B－廿五轟炸機轟炸手上尉約瑟連了。他在費拉拉大橋上空飛了兩圈，是最終炸掉大橋而獲得一枚傑出飛行十字勳章的英雄（受勳時，他渾身一絲不掛上場），但是他一直裝瘋賣傻假病央求醫官讓他停飛，要不然就是期待趕快完成規定的飛行次數後調防回國。「要打贏這場戰爭，同時又能保全性命」、「不想再捲入戰爭就讓別人去戰場送死吧」。不幸的是，每當他快要完成目標的時候，卡斯卡特上校就再次把飛行次數提高，而這些都遠高於司令部的要求次數。他突發奇想，與多布斯密謀暗殺卡斯卡特上校的計畫，不過僅止於幻想並沒有行動。然而，他有很多出人意表的言行，卻成了卡斯卡特的恐懼害怕。受制於第22條軍規，約瑟連終究是一個弱者，拒飛的結果，就是接受軍法審判入監坐牢，抑或是跟長官們進行一樁「令人作嘔」的交易，彼此皆大歡喜。最後，約瑟連選擇了自己想要走的一條道路—逃走。「我並沒有背離職責。我還正衝著它跑去呢。為了救自己而逃走，根本不算消極。」

另一引人矚目的人物，就是急進投機且神通廣大的食勤官米洛中尉。當同袍駕著飛機在高射炮火網中出生入死，他卻飛奔各地做著操奇計贏、黑市買賣的勾當，大發其財。還號稱已成立M&M 企業集團，大家都有股份，利潤共享，雨露均霑，用來堵住悠悠眾口。連卡斯卡特上校都被攏絡擺佈，甚至免除了米洛的飛行作戰任務，讓他享盡特權。米洛是一個長袖善舞到處吃得開、見利忘義的傢伙，故也曾讓約瑟連碰了一鼻子灰。

第22條軍規，外表是合符人道的規定，裡子是詭辯的，是一個整人的圈套，統治者永遠站在上風，約瑟連就是挨整被耍的其中一個人。在文本中，裝瘋的約瑟連求助丹尼卡醫師，證明他是瘋子以免除飛行任務，丹尼卡告訴他，「第22條軍規」規定瘋子可以免除飛行任務，但必須自己提出要求，一旦提出要求，便不再是瘋子，因為「凡是想擺脫作戰任務的人，絕對不是真正的瘋子。」、「對自身安危表現出關切的態度，這便是一種大腦的理性運作過程。」既然不是瘋子，當然就得冒著生命的危險繼續飛下去。約瑟連說：「這第22條軍規，實在是個了不起的圈套。」丹尼卡醫師贊同：「絕妙無比。」

值得一提的是，「Catch-22」一字已收錄在現今的英語辭典中，成為常用的英語詞彙。其中一個意義，它代表了統治者對於民眾的愚弄，也代表了民眾對於統治者的抨擊[2]。在105年國中教育會考英文科，也引用《第22條軍規》的故事將此一荒謬情境入題，如「許多工作要求經驗，但相關經驗又只能在該公司獲得，使年輕人陷入求職困境。」此即是：「一個人因為沒有工作經驗而不能得到一個工作，但是他又因為沒有一個工作而得不到工作經驗。」[3]看來，弔詭的“Catch-22”真的是無所不在呢？

俚語：「豹死留皮，人死留名。」約瑟夫・海勒以小說“*Catch-22*”名垂竹帛，以辭典“Catch-22”流芳百世。約瑟夫・海勒就是 Catch-22，Catch-22等於約瑟夫・海勒，人生若此，豈有憾焉？

我讀我見

枷鎖下的快樂。

一、約瑟連公開坦承，為了保護自己生命安全，不再飛上天空執行作戰任務，而忤逆當局，最後他選擇逃亡。在《圖靈的毒蘋果》的圖靈面對警方時，他毫無掩飾，天真主動地全盤托出同性戀的事實，此猶如自掘墳墓，渾然不知已將自己導向死亡的深淵。「向朋友坦誠也許是種解脫，不過警方可是掠食者。內疚的人夢想渴望的是他人的同情，警方嗅聞的則是勝利的氣味，一心只想陷於他圈套之中。[4]」我們常聽到告誡說：「誠實是最好的政策。」但以上面兩個不幸的例子看來，「坦白誠實」的大前提應該是要能保護自己，而不是使自己陷身險境吧？

二、約瑟連的長官為了追求自己的權位和利益，違背既往的承諾而一再提高戰鬥飛行任務的次數，把僚屬看成像泥土、小草般卑賤低微，不懂珍愛寶惜，那麼長官在僚屬的心目中就像是敵人般的可恨了。這就是孟子說的：「君之視臣如土芥，則臣視君如寇讎。」彼此以禮相待，重然諾應該是普世的準則耶！

【延伸好讀】大衛・拉格朗茲（David Lagercrantz），《圖靈的毒蘋果》（*The Fall of Man in Wilmslow*），江淑琳譯，天培文化出版，382面；21公分（2016.12）。

注釋

1.見《維基百科》〈二十世紀百大英文小說〉、〈約瑟夫・海勒〉。

2.見《維基百科》〈第22條軍規〉。"Catch-22"的典故出自於 Joseph Heller 的小說《*Catch-22*》。《YAHOO 奇摩字典》Catch-22：互相抵觸之規律或條件所造成的無法脫身的困窘；【俚】進退維谷。

3.見〈105年國中教育會考英文科閱讀題本〉。
https://drive.google.com/file/d/0B9bh8F-OsMHZNWp4MENHSG50WWM/view

4.大衛・拉格朗茲（David Lagercrantz），《圖靈的毒蘋果》（*The Fall of Man in Wilmslow*），江淑琳譯，天培文化出版（ 2016.12）。艾倫・圖靈（Alan Mathison Turing, 1912-1954）有人工智慧與計算機科學之父的美稱，二戰時破解德軍密碼，對戰爭取得勝利貢獻甚大。然而以其同性戀的行為不見容於當世，而遭到喪盡尊嚴的法庭審判與非人道的迫害。此書描寫一位警探接手圖靈自殺案（或是謀殺案？），開始探索瞭解圖靈的生活，這是一部融合史實與虛構的精彩有趣小說。此外，影片〈模仿遊戲〉搬演的就是圖靈的傳奇故事，該片獲得了良好的口碑與評價。另可參見《維基百科》〈艾倫・圖靈〉。

20 小人物大英雄

——時間裁縫師

書名：時間裁縫師（*El Tiempo Entre Costuras*） 606 面；21 公分
著者：瑪麗亞・杜埃尼亞斯（Maria Duenas）
譯者：羅秀
新經典圖文出版（2012.09）

> 任何值得為它而生的東西，都值得為它去死。而任何值得為它去死的東西，也一定值得為它而生。
>
> ～約瑟夫・海勒《第 22 條軍規》

在過去，西班牙憑著船堅炮利，壘固兵強，四處征伐，廣拓疆土，是第一個被冠以日不落帝國（the empire on which the sun never sets）稱號的國家，影響所及全球如今有5億人口使用西班牙語，居世界上總使用人數第三多。在近代，她歷經三年血腥內戰（1936-1939），第二共和國被有納粹德國支持的佛朗哥（Francisco Franco, 1892-1975）領導的國民軍與長槍黨等右翼集團終結了，佛朗哥的獨裁統治於焉開始[1]。是時，二戰（1939-1945）也爆發了，英國對德國宣戰，佛朗哥政府於是陷入加入軸心國或保持中立的左右兩難之局。

《時間裁縫師》這部小說的時間背景，即是定格在動盪不安的西班牙內戰與二戰期間。空間則跨越馬德里，到摩洛哥丹吉爾與得土安、葡萄牙里斯本。主要在描繪裁縫師希拉如何把服裝店經營得有聲有色，廣結權貴要人之妻，而且因緣際會更扮演起情報員的角色，除了協助英國穩住親德的西班牙不會全然倒向軸心國，同時也達成自己的願望—西班牙要的是獨善其身，不要捲入二戰漩渦中，不要再面對另一場殘酷的流血戰爭。戰爭就是地獄。

作者筆下的希拉，堪稱亂世奇女子，初始青澀純樸、懵懂無知，後來世故練達、敏銳圓融。醜小鴨變鳳凰。她走出困頓，迎向陽光。既是優秀有品味的裁縫師，更是優秀有膽識的情報員，為自己也為西班牙開創一個富足和平的新境界。希拉生長在單親家庭，與母親相依為命，從小跟著母親在馬努艾拉的服裝店努力學了些手工針黹，但在未婚夫伊格納西奧的慫恿之下，準備學打字將來成為公務員。就是為了買打字機，改變了希拉的一生。因為，她竟然一見鍾情瘋狂盲目地愛上打字機店經理拉米羅，於是甩了未婚夫，兩人為愛遠走異國他鄉。不幸的是，拉米羅居心叵測，捲款而逃，希拉落得失身又失財。不只拉米羅給她帶來撕心裂肺的傷痛，還揹上詐騙犯與竊賊的罪名，希拉境況至為狼狽。

希拉沒被擊倒，日後她顯得更成熟更果敢更優雅，別具另一風格的希拉。光鮮亮麗的希拉。面對為了攢錢還債以洗刷難堪的罪名與餬口度日的困境，在他人幫忙下在得土安開起高檔的女服裝店，希拉重作馮婦拿起針線，口碑甚佳，生意興隆。其中，顧客英國人羅薩琳達，肩負秘密任務—想幫英國拉攏西班牙，如果西班牙置身事外，不加入軸心國，那麼英國會多一分勝算，她希望能與希拉攜手前行。羅薩琳達的出現，在希拉的平靜心湖掀起了波濤，人生道路再一次轉了個大彎。她們二人各自擔心自己國家人民共同的未來。她們二人有共同的目標。其間，希拉也因靠著羅薩琳達的關係，營救出陷身在戰亂的馬德里的母親，來到得土安團聚。

希拉聽從母親的勸，答應幫羅薩琳達的忙，也就是幫助英國。她化名摩洛哥公民艾瑞希，代號「西帝」，以外國人新身分回到馬德里，開一家頂級服裝店，幫納粹高官的太太做衣服，注意馬德里納粹份子的社交活動，從她們身上套取資訊，然後轉交給約定的人士。「表面上忙著裁剪布料、查詢圖樣、測量尺寸，暗地裡則忙著記錄我們聽到的一切。」、「得知德國人都在西班牙做什麼，再轉告英國人。」不僅此也，有一次希拉還出任務到葡萄牙里斯本收集鎢礦交易事件的情報，雖然滿載而歸，但身分遭對方識破，幸而有人搭救，倖免於難。在這種致命的冒險遊戲，希拉過著同時與天使和魔鬼打交道的緊張日子。「無恥的謊言已經占據 生命中的最大一部分」。

小說的結尾是溫馨的。命運的安排，兼有服裝師和情報員兩種身分的希拉找到真愛有了歸宿，而且，也跟陌生的父親相聚了。對於情報工作，希拉自信十足地說：「當一個服裝師盡心盡力工作的時候，她一定會做到最完美。」

「也許我們根本不曾存在，即使存在過，也無人知曉。我們永遠都活在歷史的背面，在歲月密密麻麻如縫線般的痕跡中，真實而隱形地活著。」這是書末的一段話。此時，想起傳記電影〈女王與知己〉（Victoria & Abdul）[2]也有類似精彩的一段對話，阿卜杜勒（Kareem Abdul-Jabbar），對女王侃侃而言：「地毯的製作技術，是將眾多不同的線結合在一起，編織成……。生命就像一張地毯，我們在其中穿梭來回組成不同圖案。」這二段話都值得我們品味再三呢？

作者對於人物細膩感情的書寫，情節驚奇惶悚的安排，內容史實虛構的揉合，意旨勵志、反戰的闡揚，在在令人驚豔，讓這本處女作獲得如潮好評，成了暢銷書，還改編成17集的電視劇，風靡西班牙。國內，公共電視台2015年間亦曾播出此一精采影集。

瑪麗亞・杜埃尼亞斯（1964-）西班牙人，擁有英語語言學博士，2009年出版的《時間裁縫師》是她的第一部小說。2014年臺北書展，也曾邀請她來台參與「最精彩的歷史都在小說裡」座談。

我讀我見

他在模仿自己。

一、文本提到：「你的雙手就是一個寶藏，誰也偷不走。」希拉憑著針線功夫了得，走出自己的世界。而在《勇氣絲帶》主述者卡翠娜：「我要去北角（歐洲的最北方，挪威瑪格爾島上的一個海岬。事實上，該島一個地方叫做基夫斯克・杰羅登才是最北端。）看永晝。[3]」她靠著在街頭演奏大提琴賣藝賺錢，開著破舊的車子一路走到可以看見永晝的地方。由此，我們看到只要一技在手希望無窮，可以吃穿不愁，可以走遍天下。宋・朱熹說過：「無一事而不學，無一時而不學，無一處而不學。」善用天賦努力學習，就能夠找到安身立命的技能。

二、人總是會遭遇困難，麻煩也會自動找上門來，但是「只要你鼓起勇氣繼續走下去，你就會遇到改變你的人。[4]」希拉在很多次的關鍵時刻，都能做出正確的選擇，讓自己的生命變得更美好，更有價值。不過，在愛情上她也曾迷失錯愛拉米羅，使自己栽了一大跟斗，幸好她沒有因此一蹶不振，反而勇敢站起來。人生的道路漫長而崎嶇，有時我們會誤搭賊船走上歧路，於是必須付出沉重代價換取慘痛教訓。但不必為這而沮喪與自責，犯錯本就是生活的一部分，下回就拿出更好的表現吧！

【延伸好讀】卡翠娜・戴維斯（Catrina Davies），《勇氣絲帶》（*The Ribbons are for Fearlessness*），尤可欣譯，商周出版，303面；21公分（ 2016.10）。

注釋

1.見《維基百科》〈西班牙內戰〉與〈弗朗西斯科・佛朗哥〉。

2.電影〈女王與知己〉（Victoria & Abdul）（2017）演出孀居的維多利亞女王（Queen Victoria, 1819-1901，1837年即位為大不列顛及愛爾蘭聯合王國女王，1876年開始成為印度女皇，是第一位兼任印度皇帝的英國女王。）晚年（68歲）與年輕印度僕人阿卜杜勒（24歲）的「一段超乎意料卻真摯的友誼」，維多利亞女王由得過奧斯卡最佳女配角的茱蒂・丹契飾演，阿卜杜勒由〈三個傻瓜〉的阿里扎勒演出。不過，有人認為兩人關係曖昧，是見不得了陽光的祕密。見〈歷史探祕／英國維多利亞女王與印度男僕的黃昏戀〉今日新聞NOWnews 大陸新聞中心／綜合報導2013/06/02。https://www.nownews. com/news/20130602/257459。

3.卡翠娜・戴維斯（Catrina Davies），《勇氣絲帶》（*The Ribbons are for Fearlessness*），尤可欣譯，商周出版（2016.10）。卡翠娜獨自一人展開一段不可思議，跡近瘋狂，歷經艱辛，令人驚嘆的旅程。九個國家，15,000公里。途中遇見不少人，當中漢娜帶給她無懼與勇氣，徹底翻轉了她的生命。她追求夢想的過程，激勵閱讀者無論如何也要勇敢地好好活下去。此書曾於英國 Amazon 暢銷榜第1名。

4.同上注。

成就自己的期望

——青年藝術家的畫像

書名：青年藝術家的畫像（*A Portrait of the Artist as a Young Man*）
335 面；21 公分
著者：詹姆斯・喬伊斯（James Joyce）
譯者：王逢振
貓頭鷹出版（2000.02）

> 假若這僅僅是個幻視，那麼重要的並非是我見到什麼或相信我見到什麼。重要的是我的想法，我所悟到的真理。
>
> ～湯瑪斯・品瓊《V.》

詹姆斯・喬伊斯（1882-1941）出生於愛爾蘭都柏林，為二十世紀重要作家之一，代表作有《都柏林人》（1914）、《青年藝術家的畫像》（1916）、《尤利西斯》（1922）和《芬尼根的守靈夜》（1939）。當中，《尤利西斯》為意識流小說的扛鼎之作[1]。每年的6月16日是為布魯姆日（Bloomsday）[2]，在都柏林會舉辦一系列文化慶祝活動用來紀念喬伊斯，如今很多國家跟進。雖然，文學評論家們對於喬伊斯的作品評價兩極，崇拜褒讚與鄙棄指摘互現，但是其偉大成就影響後世深刻長遠，卻是毋庸置疑。因此，喬伊斯雖與諾貝爾文學獎無緣，普遍認為這是該獎的一大失誤。

《青年藝術家的畫像》[3]是一部自傳體小說，其中有喬伊斯自己童年和青少年的投影寫照，也有作者憑虛構象、信手拈來的。它少有高潮迭起、峰迴路轉的情節，多的是內心世界的探索與主觀上的心理獨白。它不單純為小說主人翁斯蒂芬．迪達勒斯（Stephen Dedalus）個人的心靈成長史，實又與愛爾蘭追求獨立的歷史氛圍、「像一個十分疲憊、任何撫摸都不能使之動心的情人一樣」的都柏林與宗教教義信仰的掙扎等交雜錯綜、激盪迴響。《青年藝術家的畫像》猶如《尤利西斯》與《芬尼根的守靈夜》的前傳，後二者則是《青年藝術家的畫像》的續篇。它是作者以意識流創作技巧初試刀鋒之作。被譽為「二十世紀最偉大的自傳體小說」。

讀這本小說，首先必須了解書中主角為什麼取名：斯蒂芬・迪達勒斯（Stephen Dedalus）？“Stephen”是基督教歷史上第一位殉教者，被擲石至死；“Dedalus”是希臘神話故事裡用蠟作翅膀的人，也是迷宮的創造者，他想從自己造的迷宮逃出卻逃不出[4]。姓名隱喻了這是作者（主角）的自我期許，也是文本的核心價值所在。他要奮力逃出自身所處的國家、社會、宗教與家庭的羈絆韁鎖，遠走他鄉異國，尋覓一己安身立命之處，以「某種生活方式中，或是某種藝術形式中盡可能自由地，盡可能完整地表現我自己。」縱使粉身碎骨也在所不惜。斯蒂芬·迪達勒斯身上流著反叛權威的血液！

文本的敘述鋪陳，在斯蒂芬·迪達勒斯從童年到青少年身上，可以簡約為五個階段：童稚無知、迷失墮落、宗教懺悔、頓悟前非與海外流亡。小斯蒂芬生在一個天主教家庭，時值愛爾蘭人奮鬥爭取獨立，屢次目睹家人為政治議題吵翻天，陷於「不很清楚什麼是政治，也不知道宇宙在什麼地方完結，這使他感到痛苦」的困境。在克朗戈斯伍德寄宿學校讀書時，曾遭同學霸凌，最嚴重的是被教導主任惡意鞭打，但他鼓起勇氣跟校長告狀而獲得平反，成為同學心目中的英雄。

及後，家道中落搬家，斯蒂芬轉校到貝爾維迪爾天主教學校，此時他想成為詩人作家，也為了拜倫[5]是否是一個偉大詩人？是否是異端分子？與三個同學爭執不休，還為此招致圍毆。年少輕狂，斯蒂芬的心中想望情慾肉體的滿足，宗教教育的道德觀已然不存，「面對著他心中無時不存在的那種甘願沉溺於罪孽深重的野性慾望，世上似已不復有任何神聖的東西可言。」於是，16歲的他開始流連勾欄徘徊青樓。他犯了淫亂罪。在學校三天的靜休節，斯蒂芬聽了阿納爾神父一席冗長的死亡、最後審判、天堂、魔鬼與地獄烈火的布道後，內心深感恐懼不安，開始為他失去的天真痛哭，禱告悔罪。接著，來到告解室向神父真誠懺悔，對自己的罪行感到深切悲傷，起誓從此放棄那種罪惡，淨化自己的靈魂，在生活上改過自新。他開始參加彌撒、禱告、聖餐和悔罪，成了一個非常虔誠的教徒。

有一天，因斯蒂芬的優越表現，神父邀請他加入教會教士，並說接受上帝的召喚神示，是全能的上帝所能加諸人的最大榮譽。而且，接受教職將伴隨而來「值得驕傲的秘密的知識和神秘的權力和力量。」然而，神父的話完全沒打動他的心。他服從一個更帶野性的本能，逃避開了，拒絕了。這是小說中驚人的一大轉折。他選擇上大學，在學校認識了一些朋友，當中克蘭利與他無所不談。他告訴克蘭利，會使用「沉默、流亡和機智」那些武器來保衛自己。他們也花了很多時間討論高深的美學理論。小說末尾，在斯蒂芬的日記，透露他不再杜門株守，即將遠走高飛。也期求那位名字和他相同的巧匠與發明家—迪達勒斯，給他最大的幫助。他一心想重建祖國愛爾蘭人的良知。

「歡迎，啊，生命！我將第一百萬次去邂逅經驗的現實，在我靈魂的鍛爐為我民族煉製還沒有被創造出來的良心。」

斯蒂芬的心路歷程，看得出在不同思想的撞擊下，他相信自己面對的是某種重要而真實的東西，他隨時在做調整和修正，追求生命的真諦。「生命中創造出生命」。讀這本書，能夠讓我們冷靜孤獨地重思生命的目的。

這本小說，有謂是「開放的文本」，你我各有不同的銓釋，重讀亦有不一樣的領悟，於是它的意義可以無限延伸。由於，作者某些重要意念的表達有隱晦有暗喻，必得一字一句仔細循讀才能了然於心。所以，就讓我們冷靜孤獨地捧讀這一經典之作，再三咀嚼反思，當會有莫名的感動存在出現。

我讀我見

誠實的造假。

一、提姆・哈福特提到，手中的一副爛牌，就是你這一生最好的機會[6]。他的意思，理當如史蒂文森[7]：「人生不是擁有一副好牌，而是怎麼把一副爛牌打好。」人的一生，不就是一直在掙扎脫困、力爭上游的嗎？文本中，斯蒂芬從迷惘失落到幡然醒悟，他努力做他自己，成就自己的期望，成為所能成為的人，而這不就是人生存在的目的嗎？

二、閱讀某些書籍時，我們往往佩服震懾於作者難得的博學多聞和精彩的生花妙筆，他們的文本展現並提供前所未有的閱讀寬度和深度，讀者除了開闊視野增進見識之外，心靈也獲得滋潤與歡樂。如何才能成為偉大知名的作家？其基本功夫，就如以《與切・格瓦拉的短暫相遇》和《半場無戰事》享譽文壇的作者班・方登說的：「我做了任何作家都會做的事—大量閱讀，大量神遊，並且仰賴想像力。[8]」但從凡人的角度視之，應該還有天分和機遇吧？就機遇而言，《青年藝術家的畫像》若非著名的美國詩人龐德（Ezra Pound）[9]獨具慧眼力排眾議，及時幫喬伊斯出版，或恐有書海遺珠之憾也不一定呢。

【延伸好讀】提姆・哈福特（Tim Harford），《不整理的人生魔法：亂有道理的！》，廖月娟譯，遠見天下文化， 351面；21公分（2017.03）。

注釋

1.在「二十世紀百大英文小說」，《尤利西斯》名列第1、《青年藝術家的畫像》名列第3。見《維基百科》〈二十世紀百大英文小說〉。

2.布魯姆日（Bloomsday）。布魯姆指的是《尤利西斯》的主角利奧波德・布盧姆（Leopold Bloom）。6月16日是喬伊斯與妻子諾拉・巴納克（Nora Barnacle）第一次約會的日子，也是《尤利西斯》這故事發生的第一天。見《維基百科》〈布盧姆〉。

3.詳見《百度百科》、《維基百科》〈青年藝術家的畫像〉與《維基百科》〈詹姆斯・喬伊斯〉。

4.引自許書銘編譯〈喬哀思及其作品〉收錄於「英美文學與文化資料庫」。http://english.fju.edu.tw/lctd/List/AuthorIntro.asp?A_ID=132。

5.喬治・戈登・拜倫（George Gordon Byron, 1788-1824）英國詩人、革命家，獨領風騷的浪漫主義文學泰斗。世襲男爵，人稱「拜倫勳爵」（Lord Byron）。著名作品有長篇的《唐璜》及《恰爾德・哈羅爾德遊記》，以及短篇作品《她舉步娉婷 》。詳見《維基百科》〈拜倫勳爵〉。

6.提姆・哈福特（Tim Harford），《不整理的人生魔法：亂有道理的！》，廖月娟譯，遠見天下文化（2017.03）。一本顛覆刻板觀念、讓人耳目一新的激發創意與勵志的書籍，告訴我們容納異己、亂中

取勝的不敗道理。

7.史蒂文森（Robert Lewis Balfour Stevenson, 1850-1894）英國詩人、小說家，新浪漫主義的代表之一。其最有名的代表作，即是大家熟知的《金銀島》。詳見《維基百科》〈羅伯特・路易斯・史蒂文森〉。

8.班・方登（Ben Fountain），《與切・格瓦拉的短暫相遇》，李淑珺譯，時報文化出版（2016.11）。集結8則短篇小說的一本書，帶有嘲諷與幽默性的第三世界冒險故事。此書的書名來自內中的一篇同名短篇小說。封面有一句很有意思的話：「每個人的一生，都是量身打造好的地獄。」。

9.艾茲拉・龐德（Ezra Pound, 1885-1972）是美國著名詩人、文學家，意象主義詩歌的主要代表人物。最著名的作品，要屬意象派詩作〈在地鐵站內〉（*In a Station of the Metro*），翻譯過《大學》、《中庸》、《論語》等儒家經典。參見《維基百科》與《百度百科》〈艾茲拉・龐德〉。

三

感恩滿足

執著的失落，失落的報償

——長日將盡

書名：長日將盡（*The Remains of the Day*） 351面；21公分
著者：石黑一雄（Kazuo Ishiguro）
譯者：張淑貞
新雨出版（2015.04）

有些人活在當下，不回頭看過去。如果你很滿意現在，又何必回顧從前。

～菲卓・派崔克《金色幸運符》

1989年出版的《長日將盡》，同年獲布克獎（Booker Prize）[1]，它是2017年諾貝爾文學獎得主日裔英籍石黑一雄最為知名的作品。他在5歲時（1960年）隨父母移居英國，1983年正式入籍英國。諾貝爾文學獎頒獎詞稱：「在我們與世界融為一體的幻覺下，他在情感力量巨大的小說中，為我們揭示了一道深淵。」並指出，他的小說經常出現的主題就是回憶、時間與自我壓抑，《長日將盡》充分顯示了這些特點[2]。

這部小說的時間溯自1920年代，以迄1956年。此一期間，國際上發生重大的事件有：一戰戰敗國德國受到凡爾賽合約的嚴苛制裁、希特勒崛起並積極拉攏英國－例如以「不愛江山愛美人」而聞名的溫莎公爵在1937年成為希特勒座上客、納粹發動二戰、二戰結束－德國再次成為戰敗國。身處如此動盪不安的年代，大人物與小人物各自選擇自己的人生道路，追求自己的人生目標。大人物想扭轉世界，轟轟烈烈寫歷史；小人物想謹守崗位，平平安安求溫飽。

不過，不管是大人物還是小人物，總是有人事後發現自己誤入歧途。《長日將盡》中的史帝文斯在一趟，孤獨一人的六天尋訪之旅，一路上沉湎往昔，回味自省並檢視在達林頓邸工作時的諸多往事。追昔引出撫今，當初的所作所為都錯了嗎？

1920年代，史帝文斯是達林頓邸的總管，為達林頓爵爺工作。這座豪宅經常有盛大宴會或會議，達官顯要或仕紳名媛盈門，戶限為穿。爵爺熱中政治和外交，嚮往法西斯專制體制，是納粹德國的同情者和擁護者，甚至積極撮合國內具有影響力的人與柏林交好，亦試圖慫恿首相接受希特勒的邀請，赴德國訪問以化解誤會。達林頓邸成了德國在英國的橋頭堡。事實上，爵爺錯了，他被希特勒矇騙了。在二戰期間與結束後，爵爺飽受批評和詆毀。澈底被擊垮了。宅邸車水馬龍的盛況不再。

後來，美國紳仕法拉迪先生買下達林頓邸，史帝文斯留任總管。法拉迪鼓勵史帝文斯出去旅行一趟，但決定成行最主要的推力動能來自宅邸前女管家肯頓小姐的來函。時當1956年7月，史帝文斯乃展開六天駕車之旅。旅途中滿是回憶，再不然就是反覆地琢磨推敲肯頓小姐來信裡的字句，像是「我的餘生彷彿一片虛空，攤放在我的眼前。」等，諸如此類的這些字句是否暗示了甚麼。

由史帝文斯的一幕幕回憶帶出的幾個主題，當中最令人印象深刻的是，他與肯頓小姐的似有若無的微妙情愫。他們二人一起在達林頓邸服務，朝夕相處，日久之後意氣投合？來電了嗎？由於史帝文斯講求符合其職位的「尊嚴」，一心想要成為真正的名門尊邸的「偉大管家」，因而形塑了他內斂壓抑、外表拘謹、盡忠職守、一絲不苟的清規戒律，而內心不時激盪的浪漫情懷就此冰封窖藏。兩人睽違30年後，這趟英格蘭西南部之旅，不就是為了找尋青春盛年時失落的東西，而進行救贖？

誠然，史帝文斯得以接近了人人冀求的世界軸心，並發揮了自己的專業，已達到個人事業的巔峰。然而，原本可能與他共享生活的肯頓小姐黯然離去，嫁為人婦成了班太太，感情生活空白的史帝文斯理應有所遺憾悔恨？如今，迢迢千里來拜會班太太，能喚回甚麼？能重燃起暮年之愛嗎？他們兩人在小康普頓重逢會面和珍重再見的情景，是小說中最纏綿感人、腸斷淒惻的地方。苦澀的結局，也許「此情可待成追憶，只是當時已惘然。[3]」的惆悵，可盡其一二。

這本小說，委婉言懷，迂迴盤繞。細針密線，銜接緊湊。氛圍優雅，不帶腥羶。既感到溫馨甜美，亦有著失落苦澀。

我讀我見

明智的忠誡。

一、肯頓小姐有的是後悔（regret）。「對自己說：『我的人生犯了一個多麼嚴重的錯誤呀。』然後就會想到另一種生活，想到自己原本可能擁有更美好的人生。」蒂芬妮‧史密斯（T. W. Smith）[4]指出，「後悔－和度過後悔－從而能幫助我們發展出更具適應力和韌性的自我期許。」也說，「也許我們能自我調整去適應後悔，也許我們能從中學習。」在小說中，肯頓小姐（班太太）雖曾耽溺於「可能性」，但最後她適應調整與從中學習，恍然覺悟她的真愛才是班先生，斬斷了綺念幻想，揮別愁苦的思緒。這個結局實在令人動容，也帶給我們深刻的啓示。

二、史帝文斯與肯頓歡喜重聚之後，到了有情人卻不能成為眷屬而必須說再見的時刻，眼眶裡噙滿眼淚的是肯頓小姐，擅於壓抑感情的史帝文斯並沒有流下一滴淚水。男子有淚不輕彈？一趟愛的尋訪之旅，絲毫沒改變史帝文斯的拘謹死板個性，只是不流淚的背後，心裡蠢動的應該是一陣席捲而來的大悲傷吧？不過話說回來，此一離別場景如若是換成史帝文斯淚崩如決堤之河，想必會造成更大的震撼效果吧？或者，兩人悲痛相擁潸然淚下，引來世人感動而一掬同情之淚？或者，有其他更能賺人熱淚的好安排？[5]

【延伸好讀】蒂芬妮・史密斯（Tiffany Watt Smith），《情緒之書：156種情緒考古學探索人類情感的本質歷史演化與表現方式》，林金源譯，木馬文化出版，479面；21公分（2016.04）。

注釋

1.引自《維基百科》〈布克獎〉。原稱曼布克獎（Man Booker Prize），與法國龔固爾文學獎（Prix Goncourt），美國普立茲獎（Pulitzer Prize）相媲美的文學獎。布克獎從1969年開始頒發，是當代英文小說界重要的長篇小說獎項，也是世界文壇上文學大獎之一。迄今，總計有五位布克獎得主（包含石黑一雄在內），爾後獲得了諾貝爾文學獎。

2.詳見《維基百科》〈石黑一雄〉。僅就已發表的小說而言，計有8部：《群山淡景》（1982）、《浮世畫家》（1986）、《長日將盡》（1989）、《無法安慰》（1995）、《我輩孤雛》（2000）、《別讓我走》（2005）、《夜曲》（2010）（按：此書係由5個短篇小說組成）與《被掩埋的巨人》（2015）。

3.出自唐・李商隱〈錦瑟〉。全詩如下：「錦瑟無端五十弦，一弦一柱思華年。莊生曉夢迷蝴蝶，望帝春心托杜鵑。滄海月明珠有淚，藍田日暖玉生煙。此情可待成追憶，只是當時已惘然。」

4.見蒂芬妮・史密斯（Tiffany Watt Smith），《情緒之書：156種情緒考古學探索人類情感的本質歷史演化與表現方式》，林金源譯，木馬文化出版（2016.04）。一本闡述156種（作者稱，還有更多）情緒的心理學書籍，讓我們探索並認識自己的內心世界，也提醒我們培養情緒商數（emotional quotient, EQ）與情緒管理的重要性。書中每一條目的書寫，立基於神經心理領域的科學報告、歷史文獻、文藝作品、流行文化和音樂。它不是全然很嚴肅枯燥的學術論著，而是多篇情緒相關的小品文彙集而成的一本散文集。分條陳述方便查索，精彩易讀又迷人。

5.1993年出品的改編同名電影，最後一幕：「在雨中，史蒂文斯含淚送肯特上巴士，肯特鬆開史蒂文斯的手，忍不住多年來壓抑的情感，終於淚如雨下……。」見《維基百科》〈長日將盡〉（電影）。此片得到廣泛好評，當年奧斯卡金像獎入圍8個獎項，可惜全都槓龜。擔綱演出的男女主角赫赫有名，男主角是1991年以《沉默的羔羊》獲奧斯卡最佳男主角獎的安東尼・霍普金斯，女主角是1992年以《此情可問天》獲奧斯卡最佳女主角獎的艾瑪・湯普遜。

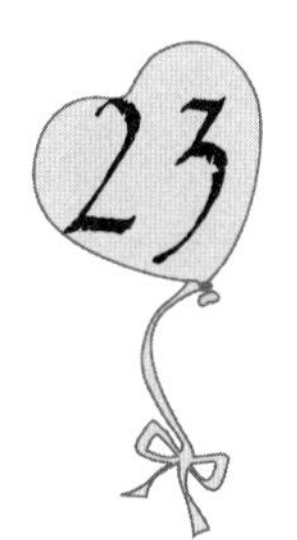

每件事都是上天註定好的

——孤兒列車

書名：孤兒列車（*Orphan Train*）　242 面；21 公分

著者：克莉絲汀娜・貝克・克蘭（Christina Baker Kline）

譯者：沈耿立

遠流出版（2015.04）

> 一直到生命到了盡頭，才明白在他們等待開始的時候，人生早已開始。
>
> ～傑斯・沃特《美麗的廢墟》

美國1854年到1929年，曾經有過從東岸以火車運送20萬孤兒到中西部，一站站「公開展示」，讓一些家庭領養。此一「孤兒列車」血淚史實深烙人心。這些從紐約街上來的小孩，規模滿大數量又驚人，如今尚有健在的（歲數90-100），作者就認識了6位，她閱讀有關他們的書寫與相關著作，訪問兒童救助協會、紐約棄嬰組織、博物館，……，亦也進行田野調查，寫成這本具有歷史意義的小說，引人入勝的療癒故事，出版後獲得甚好的評價和口碑，更擠入暢銷排行榜。

克莉絲汀娜・貝克・克蘭出生於英國，在美國成長。曾出版多本小說及散文集，然而《孤兒列車》卻是她最受矚目的作品，為其代表作。書中，婉轉細膩的筆觸，流露出人性中的至情至愛，讓人為之動容。

您不是孤兒，您知道孤兒的辛酸嗎？

故事的起點在1929年經濟大蕭條時代的紐約市、明尼蘇達州奧班斯、赫明福德，終止於2011年的緬因州史普魯斯港。經由作者巧妙的布局，17歲孤兒莫莉（18歲始為成年）因緣湊巧來到91歲薇薇安的豪宅從事社區服務50小時，就此揭開自愛爾蘭移民來的薇薇安塵封的記憶，挖掘出一段段辛酸悲傷卻又心滿意足的往事，一個身為「孤兒列車」薇薇安的完整生命故事。

在文本中，我們看到「孤兒列車」上的小孩是沒有什麼尊嚴的，像是領養者強行撬開孤兒達奇的嘴吧檢視牙齒，被領養的孩子有的是過著不溫不飽、當牛當馬的生活，如佣人般被使喚，名字也有可能被改來改去，當然他們上學受教育的機會也被剝奪了。幸運的是，這些孤兒的勇敢和堅強，讓他們都能否極泰來，遇到好人，掙得一片天。懂得十字繡、縫邊等縫紉技巧的九歲薇薇安就是其中一例，前二個收養家庭對她極盡壓榨虐待之 能事，有一次甚至差點遭男主人性侵，名字則是從妮姆改成桃樂絲又變成了薇薇安。幸好，最後一個領養家庭，視她為己出，供她上學，學習經營商店，人生從此大大改觀，也結了兩次婚。

薇薇安的痛苦記憶能夠打開，靠的就是本身也是孤兒身分的莫莉，她是印第安族裔，對祖先被白人欺騙、驅趕和屠殺，深感痛心，但她以身為印第安人為榮，因為印第安人一點也不「原始」，更不野蠻。她知道有很多印第安字被移植到美國的英文當中，像是南瓜（squash）、麋鹿（moose）等。她努力將尋獲的片段小故事，像是織成百衲被般，排列拼湊成一個完整的大故事。一個美麗的大圖像。她不僅幫薇薇安說出自己的「孤兒列車」歷史故事，也從一些線索繼續追尋薇薇安的妹妹、當年被自己送養的女兒等人如今的下落。尤其找到已是子孫成群的女兒，促成骨肉70年後淚眼團圓，使薇薇安激動得站立不穩。欸！莫莉之所以擅長「找人」，是因為她懂得使用 Google。

莫莉因為在圖書館偷了一本破舊的《簡愛》，若找不到社區服務的工作，就得被送去感化院，真好，有薇薇安的接納而逃過一劫，但是她也幫薇薇安說出心中的苦楚，說出了一部偉大又感人的故事。這是命運的安排嗎？會如故事中說的，命運是什麼？就是每件事都是天註定好的，是上帝事先都計畫好的，我們只是 ……按照命運過活，縱使你不喜歡。薇薇安說得好，我經過的每件事都是為此時此刻做準備，闖過煎熬艱困她現在準備好了。

作者認為，她的母親引介印第安人的「行囊」的概念，是讓小說中的情節能夠串聯起來的重要因素。「行囊」，這是一個很具意義，值得思索的詞彙。「穿越未知水域的旅程與攜帶的行李」，你要怎樣才能輕便地旅行？「你到下個地方決定要帶什麼東西在身上？你決定拋下什麼東西？對你來說，當時決定什麼東西重不重要，有什麼想法？」這是一個我們經常面對的選擇題。或如，傑斯・沃特《美麗的廢墟》[1]一書提出的，若是想救你愛的人，唯一的辦法……是把他們丟下，你該怎麼辦？想一想，你我將怎麼辦呢？

我讀我見

生命要有故事才精采。

一、兔子後足（rabbit-foot）是一種幸運符號，能帶來好運的護身符[2]。作者則是在文本中，替薇薇安和莫莉頸上戴上幸運飾品（幸運符），前者是克拉達十字架，奶奶給的；後者是一條項鍊串著一隻魚、烏鴉和狗，父親送的，這些在她們遭遇困頓險阻的時候，增給了莫大精神穩定與支援的力量，終能繼續向前走。有信仰就是會產生力量，不是嗎？

二、當事情告一段落時，有人永遠會緊接著叩問自己，再來呢？下一步呢？我們發覺薇薇安與莫莉身上都具有這種「追尋」的特質，勇於接受命運，樂於開創新局。古利博《追尋吧！過你夢想的人生》[3]。「追尋」的過程將會帶來幸福，但真正讓人震撼快樂的是，我們發現既定目標之外的「未知」，那些原先我們以為不存在的東西。

【延伸好讀】古利博（Chris Guillebeau），《追尋吧！過你夢想的人生》，劉真儀譯，遠見天下文化，318面；22公分（2015.04）。

注釋

1.傑斯・沃特（Jess Walter），《美麗的廢墟》，鄭淑芬譯，時報文化出版（2015.02）。原版刊行於2012年，曾登《紐約時報》暢銷書排行榜冠軍。

2.兔子後足是一種幸運符號，在許多文化都認為兔腳是能帶來好運的護身符。在歐洲、中國、非洲和美洲的許多地方人們都相信這個說法。引自《維基百科》〈幸運兔腳〉。

3.古利博（Chris Guillebeau），《追尋吧！過你夢想的人生》，劉真儀譯，遠見天下文化（2015.04）。作者是成功創業家、旅行家，同時也是暢銷作家。著有《不服從的創新》、《3000元開始的自主人生》（天下文化出版）二書。他鼓勵世人要傾聽心靈的呼喚，跨出第一步，開始追尋夢想。再平凡的人，只要有堅強的意志力和熱情，也可以創造出不平凡的生命樂章。書中有趣的事例，足以讓慵懶不想動的人，開始動了起來。

忘掉過去，擁抱現在

——瓶中迷境

書名：瓶中迷境（*Belzhar*）　319 面；21 公分
著者：梅格・沃里茲（Meg Wolitzer）
譯者：謝靜雯
親子天下出版（2016.11）

大錯已鑄成，現在只有一件事能做，就是忘掉這整件事。

～克里斯多福・伊薛伍德《再見，柏林》

「我不覺得那是神遊，那更像是一個地方。我覺得我去了某個地方。當現實太讓人沮喪，沒辦法接受的時候，就會去的那種地方。」寄宿學校的5個青少年學生，把真的很想回去的「那種地方」，名之以“Belzhar”（瓶境），這成了他們彼此之間的通關秘語，更是書名原文的由來。

瓶境，是這本小說中的5個青少年的釋放壓力、放下憂鬱與衝出圍城、敲破鐘罩的神秘聖地。作者這一巧妙的安排鋪陳，讓小說增添懸疑氣氛，虛實交錯，而奧境奇闢，引人入勝。曾獲亞馬遜網路書店、《時代雜誌》、《出版人周刊》評為年度最佳作品。

這本小說的主人翁16歲潔兒情傷未癒，被送到一所專門收容「情緒脆弱，天資聰穎」的青少年學校，他們擅長調理青少年的問題。學生們都可能有憂鬱傾向，他們往往被困在既往的創傷裡，就像「放在鐘罩底下的東西」跟現實世界乖隔。誰能使這些學生破繭而出，闖出自己的新天地？學校中有一門由奎奈爾太太（暱稱 Q 太）擔綱的特殊主題英文課，就是扮演著這一角色。她精挑細選五位學生，導讀雪維亞．普拉斯《瓶中美人》[1]和要求寫日記（「紅皮日記治療法」）。並且再三叮囑告誡學生們，人不是孤立的，「以人類對人類的立場，你們必須彼此照顧」。

每次寫日記回顧，學生們就很神奇地進入「那個」世界（瓶境）一次，見到超現實的異象，始則恐懼不安，繼則樂此不疲。5位學生也開起秘密聚會，互相傾訴聆聽，彼此諒解鼓勵，大家感情也變得很好，發展出深厚的同儕愛。由是，我們聽到5則動人傷感的瓶境故事：醉駕車禍、弟弟失蹤、抽麻釀災、英雄崩壞與男友「死」了。他（她）們從瓶境走出，獲得救贖解脫、真相大白，甚至慧劍斬情絲。因此，潔兒不禁感慨系之地說，日記救了我們。在 Q 太耐心教導用心編課之下，果然讓5位學生脫胎換骨，揮別過去，迎向未來。這些學生已經知道逃避痛苦是不可能的，也已經準備好面對成人的世界了。

值得細究的是，Q 太除了挑選學生之外，為什麼「專書選讀」會挑上三十歲就自殺身亡的雪維亞．普拉斯《瓶中美人》？

原來是，她挑的學生是一群有某些類似障礙的，因此就找一個能幫上忙的作家來合作。例如，有一年的學生焦慮又疏離，就選讀沙林傑（Jerome David Salinger, 1919-2010）的作品；另有一年，學生缺乏自主自立性，她就指定愛默生（Ralph Waldo Emerson, 1803-1882）的作品。易言之，Q 太深諳因材施教之方，故而深受學生們愛戴喜歡與感謝。

每個人都有自己的故事，每個人都有自己的過去。我們都有未來各自的燦爛前途，生活和所愛的人。丹麥哲學家齊克果：「生命只有走過才能了解，但必須往前看才能活得下去。」或者如岸見一郎《拋開過去，做你喜歡的自己》[2]說的，當我們可以放下過去，以往的種種就不會再糾纏自己。文本中有憂鬱症傾向的青少年，因著寫日記進入瓶境，並研讀討論《瓶中美人》及雪維亞・普拉斯生平，談自己，談嗜好，談天說地，從此了解人不該活在過去，學會要比以往更堅強，尋找自己的聲音。

有一首歌的歌詞，不就是這樣寫的嗎：「拋開憂鬱，忘掉那不如意，走出戶外讓我們看雲去」！

這本青少年成長小說，就像是一面鏡子，它具有正向改變的力量，讓人從青澀轉為成熟。閱讀優質的文學作品，會點燃智慧的火花，改變人生，使我們聰明勇敢地活下去，就像 Q 太要潔兒他們研讀《瓶中美人》一樣。

1959年出生於紐約布魯克林的梅格・沃里茲為美國當代暢銷小說女作家，《瓶中迷境》是她首部為青少年所創作的成長小說。2013年她的另一部作品《興趣》（*The Interestings*）（按，此書似尚未有中譯本？），亦廣為暢銷，與強納森・法蘭岑的《自由》、傑佛瑞・尤金尼德斯的《結婚這場戲》[3]並稱為時代經典。

我讀我見

樹木會茁壯。

一、船沉沒漂流到小島，眼盲無助的十一歲白人小孩菲力與黑人提蒙西，彼此發展出一段死生與共的情誼，「只有我一人，我是不可能存活下來的。[4]」小說也告訴我們眼睛看到的不一定是正確，用心去感覺體悟到的才是真實。唯有愛，才能活下去。

二、宋人方岳詩：「不如意事常八九，可與語人無二三。」面對不如意，人人難免都會情緒低落、沮喪、憂鬱，容易產生負面想法，此時我們如何因應自處？也許，可以學著小說中的方法－寫日記紓發憂愁抑鬱、找個人傾吐心事、彼此照顧。除了自己要能豁達開朗，主動爭取家人與好友提供情感的支持與聆聽也是很重要。至於怎樣才能做到豁達開朗呢？讓我們緊記在心這句耳熟能詳的愛爾蘭箴言：「假使上帝關上這一扇門，祂會開啓另一扇門。」這也正應合著古語：「失之東隅，收之桑榆」、「塞翁失馬焉知非福」與「禍兮福所倚，福兮禍所伏」的真諦了。

【延伸好讀】西奧多・泰勒（Theodore Taylor），《珊瑚島》（*The Cay*），曾倚華譯，高寶國際出版，191面；21公分（2016.12）。

注釋

1. 雪維亞・普拉絲（Sylvia Plath），《瓶中美人》（*The Bell Jar*），郭寶蓮譯，麥田出版（2013.09）。作者半自傳性質的長篇小說，刻畫青春少女時期經歷心理掙扎、窒息、徬徨、抑鬱症失控、與自毀自殺未遂的過程。英國 BBC 譽為女性小說的里程碑。雖然內容黑暗叛逆，但與《麥田捕手》並稱，是美國高中的英語讀本。
2. 參見岸見一郎，《拋開過去，做你喜歡的自己》，楊詠婷譯，方舟文化出版（2015.04）。此書為闡述「阿德勒心理學」之作，岸見一郎的另一著作《被討厭的勇氣：自我啟發之父「阿德勒」的教導》亦為暢銷書。阿德勒（Alfred Adler, 1870-1937）為個體心理學派創始人，早先師承佛洛伊德，及後另闢蹊徑自創門派。
3. 此二書的中譯本：強納森・法蘭岑（Jonathan Franzen），《自由》（*Freedom*），繆梅譯，新經典文化出版（2011.10）。傑佛瑞・尤金尼德斯（Jeffrey Eugenides），《結婚這場戲》（*The Marriage Plot*），呂玉嬋譯，時報文化出版（ 2016.03）。
4. 西奧多・泰勒（Theodore Taylor），《珊瑚島》（*The Cay*），曾倚華譯， 高寶國際出版（2016.12）。此書描述黑人與白人小孩孤島求生記，奪過數項兒童文學獎，美國中學生指定優良讀物。

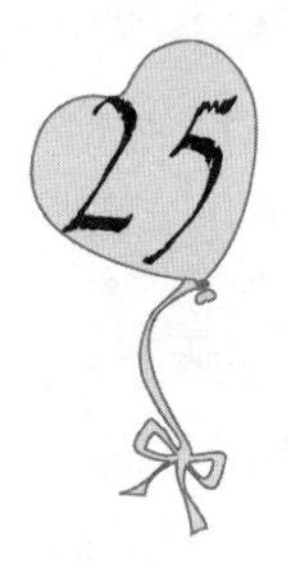

朋友是我們的引路人

——失物招領

書名：失物招領（*Lost & Found*） 299面；19公分
著者：布魯克．戴維斯（Brooke Davis）
譯者：林師祺
愛米粒出版（2016.06）

> 我心中有個聲音告訴我，我得保持忙碌，而且別想到自己的情況。
>
> ～西奧多．泰勒《珊瑚島》

我們內心深處都藏著一個或無數個美麗又神聖的夢，值得窮盡一生尋尋覓覓，於是我們人人很自然地就成了熱血的尋覓者、追夢者。《失物招領》說的故事是，經由一條不能目見的緊密紐帶，把兩位歷經滄桑、年登耄耋的鰥夫寡婦與失怙的稚子巧妙地連結在一起。他們真切地感受到彼此的存在，理解與認識，成了共同體。一少二老就此攜手展開一程後有追兵，驚險還揪心的尋覓追夢之旅。

故事是怎麼開始的呢？年僅七歲的蜜莉不幸遭遇喪父，母親隨之棄她而去。故事又是怎麼結束的呢？還是死亡，第三人稱的主述者「預知未來紀事」：10年後，卡爾、阿嘉莎相繼臨終過世，以及最後蜜莉也死了。不過，作者也沒忘了一語帶過蜜莉遺有成年子女兩位，其弦外之音該是在表顯生命的香火不息，脗合「生命的意義，在創造宇宙繼起之生命[1]」，不是嗎？

作者在故事裡，不僅強調卡爾、阿嘉莎與蜜莉彼此之間「爲人己愈有，與人己愈多[2]」的偉大情懷之外，更也闡述「所有生命終有盡頭」的不可逆的概念。在視談論死亡為忌諱的社會，人人對死亡－幽暗隱微的第二世界，往往諱莫如深或一無所知，作者以此為小說的核心，藉黑色幽默的筆調書寫，詼諧中不失莊嚴，淒冷中有著溫暖，誠屬難能可貴了。

小說中，卡爾、阿嘉莎與蜜莉，他（她）們都有一段淒涼苦澀的過往，對未來懷抱諸種期待。喪父後的蜜莉，被母親遺棄在大賣場，天真的她以為母親會回到身邊，若非靠著82歲阿嘉莎的解讀，她根本不知媽媽已去了墨爾本，接著將飛到美國。母親不希望被找到，蜜莉卻想找人帶她到墨爾本。而87歲專業打字員卡爾，想再度感受人生的多彩有趣而偷偷離開養老院，在大賣場遇上蜜莉成了忘年之交，並協助她逃脫社福人員的搜尋。三個背景經歷個性迥異的人就此湊在一起，開始踏上征途尋找蜜莉的母親，這是一段驚險萬狀的旅程，讀來令人心醉神迷。在尋找蜜莉的母親的過程，他們也同時審視面對或找回各自失去的東西，於是往後的人生不再是黑白而是彩色的！

書中，阿嘉莎對蜜莉講的一句話意味深遠：「我們都還活著時，能當朋友不是很好嗎？」朋友是我們的引路人，我們的生命將會因朋友而無限豐富起來，反之，則會變得貧乏孤寂。怪不得有一位作家就這麼說過：「朋友是你給自己最好的禮物。」

讀完全書，心中翻騰不解的是，究竟是什麼原因給媽媽有了動力，狠心遺棄年幼的蜜莉而遠走高飛、魚沉雁杳呢？也許，我們的世界本來就是有太多令人難以解說的事情會發生吧。所幸，這個社會還是溫馨可愛的，卡爾、阿嘉莎兩人古道熱腸，伴隨著蜜莉走過人生的幽谷深壑，而他們二人彼此亦也譜就一首甜蜜的黃昏戀曲，說了年輕情侶該說的話，做了年輕情侶會做的事。

《失物招領》這本小說令人印象深刻，值得深思玩味。它的人物靈巧有趣，對於老化、死亡、遺棄與愛情等議題的描述切合事實且生動。重要的是，技巧地點出有一些失去是必然難逆的，例如消逝的青春，我們要勇敢接受；有一些失去，則是短暫偶發的，例如愛情親情，我們可以努力找尋回來。此外，它也告訴我們，人隨著時間的推移與不斷的學習，具有能力對周遭環境的挑戰變遷做出正確的選擇和反應，這就是成長的真意了。

布魯克・戴維斯1980年出生於澳洲，自小即以寫作為職志，擁有西澳寇汀大學創意寫作博士學位。《失物招領》（2014）是她第一部小說，在國際文壇上掀起一陣熱潮。她接受採訪時說，整本書就是一個她試圖從悲痛中走出來的過程[3]。書末附有一篇作者寫的跋〈重新認識世界〉，寫她第一次意識到死亡是家裡的狗，第一次看到的屍體是自己的母親，小說中的蜜莉似乎就是作者本人的翻版復刻了。作者因有人過世哀悼而哭，她寫著：「我哭是哀傷老邁，惋惜人生難逃一死，難過世事無常。」道盡生命終有凋零的一天的悲傷與無奈。

我讀我見

我能想像。

一、故事中的 3 位要角各自築夢，為了追夢歷經艱辛險阻，終於找到自己，懂得喜歡自己，奮力活出真實的自我。應和了赫曼・赫塞（Hermann Hesse）說的：「人必須找到他的夢，然後路就好走了。」、「對每個人而言，真正的職責只有一個：找到自我。[4]」

二、「人生寄一世，奄忽若飆塵。[5]」生命轉瞬即逝，人生就是這樣。但是凡人莫不想活得精彩有價值又長命百歲，或者，至少也要能「不得人間壽，還留身後名[6]」。只是現實的境況是，很多人默默無聞，活得非常疲累，走得相當辛苦。人只能活一次，重要的是如何活下去！我們惟有保持一貫的豁達輕鬆的情緒，看淡一切隨遇而安，懂得把握住當下的幸福，放下心中的大石頭，才能夠快樂地往前走。

【延伸好讀】赫曼・赫塞（Hesse Hermann），《德米安：徬徨少年時》，丁君君、謝瑩瑩譯，漫遊者文化出版，221面；21公分（2015.09）。

註釋

1.完整的句子為：「生活的目的，在增進人類全體之生活；生命的意義，在創造宇宙繼起之生命。」出自蔣中正之言。

2.語出老子《道德經第八十一章 》：「信言不美，美言不信。善者不辯，辯者不善。知者不博，博者不知。聖人不積，既以爲人己愈有，既以與人己愈多。天之道，利而不害；聖人之道，爲而不爭。」其意乃是幫助別人，自己會更充足；好善樂施，自己會更富裕。

3.樊慧强〈澳青年作家處女作轟動文壇〉ABC Radio Australia，24 June 2014。http://www.radioaustralia.net.au/chinese/2014-06-23/澳青年作家處女作轟動文壇/1331538。

4.赫曼・赫塞（Hesse Hermann），《德米安：徬徨少年時》，丁君君、謝瑩瑩譯，漫遊者文化出版（2015.09）。此書為暢銷書，出版翌年（2016.09）即七刷。主述者辛克萊的成長故事，因引路人—德米安—的開導協助，終於能看清世界，為自己而活。赫曼・赫塞（1877-1962），德國詩人、小說家，1946年諾貝爾文學獎得主，二十世紀最偉大的文學家之一。

5.引自《古詩十九首之四》〈今日良宴會〉。

6.出自唐・白居易〈哭皇甫七郎中〉詩。

認清自己才能戰勝自己

——公民文斯

書名：公民文斯（*Citizen Vince*）　328 面；21 公分

著者：傑斯・沃爾特（Jess Walter）

譯者：柯宇倩

尖端文化出版（2009.12）

姓名又算什麼呢？我們叫做玫瑰的，不叫做玫瑰，聞著它不也一樣香。

～莎士比亞《羅密歐與茱麗葉》

1980年美國總統大選，雷根大勝尋求連任的卡特[1]，其撼人心弦競選講詞：「不妨問問自己，你比四年前過得更好嗎？」頓時成了剛取得選民登記證的文斯，時刻捫心自問的一句話。在一次面臨殺手威脅時，他腦海翻騰的是應該從此金盆洗手、重新做人，不要不務正業、四處晃蕩像個幽靈，誤以為自己還活著。

《公民文斯》中的馬蒂・哈根僅是犯了偷竊偽造的小罪犯，手上也沒有握有很多重大價值的情報，萬萬沒想到卻因律師的私怨而與檢察官動手腳竄改聯邦調查局的報告，莫名其妙變成美國聯邦政府「證人保護計畫」[2]的一員。於是，他選了一個令人喜歡的新名字－文斯．肯頓，被安排從東部紐約市遷到一個不會被人認出的小城市—西部史坡堪市。一切從零開始就好像剛出生，沒有不良紀錄更沒有負債。這是一個的全新的生活，他成為另一個人了。當時，他渴望的一幅生活圖像是：一個女人、一棟房子、早晨的報紙，也曾夢想將來開一家連鎖餐廳。值得一提的是，文斯亦是一位喜歡讀書且讀了很多書的人。

文斯到了史坡堪市卻仍不改舊習，在烘焙甜甜圈、玩牌之餘，依然夥同數人搞著盜竊變造冒用信用卡與販售大麻的勾當。問題就出在，同夥有人認為他暗槓了很多錢，更有來自費城的殺手雷．史蒂克斯介入。俗語說得好：「人為財死，鳥為食亡。」文斯他感覺被盯上了，他們找到他了，他們將把他做掉。由於求生意志的驅使，迫使文斯勇敢面對自己做過的事。「出來混，欠了總得還。」那就是還清以前的債務，更重要的是，必須查出殺手的底細與主使者是誰？另一危機是，警方懷疑他涉及一宗謀殺案。這些因素，催促本來就患有憂慮、恐懼且神經質的文斯匆匆忙忙、閃閃躲躲飛回紐約，再返至史坡堪，展開一場償債救贖重生之旅。不過「螳螂捕蟬，黃雀在後」，菜鳥警官杜普立鍥而不捨地抽絲剝繭、按圖索驥，也跟著追到紐約。

小說時空背景為1980年美國總統與州議員選舉前的八天，作者也藉著文斯「除了烘焙工作外，這輩子沒正正當當幹過一天活，但今天我投票了，和其他人的票一樣有效，這是一件大事。」

來襯托彰顯民主選舉的重要。因而我們嗅到卡特的困獸之鬥一籌莫展、雷根的意氣風發勝券在握的味道，至於候選人在造勢活動中聲嘶力竭地呼喊「讓美國重返榮耀」，一如我們這兒的「愛台灣」、「讓世界看見台灣」，聽起來很熟習的競選語言盈耳不絕。

《公民文斯》描述悔改的文斯・肯頓和告密的馬蒂・哈根的故事。帶有黑色幽默調調的推理小說，故事影射社會現實，表達出對社會問題的觀點。文本對黑幫世界牽涉最基本的規矩、信任、背叛與死亡有生動流暢的敘說，對於社會層出不窮的腐敗、陷害、賄賂也不忌諱地如實呈現，有關流氓、政治與司法的錯綜關係亦有婉轉的著墨。讀這本小說，閱者心中同時產生不安和期待的情緒，每當文斯命懸一線時，我們心中會奇妙又沒理由地期待他逢凶化吉轉危為安，因為他看起來並不是怙惡不悛的壞人。

作者在扉頁引用老子《道德經》:「知人者智，自知者明。勝人者有力，自勝者強。」它點出這本小說的意旨，強調人類生存在這個世界，真正聰慧有悟性的人，不僅要能認識別人，更要能反躬自省認清自己的優劣長短；而真正自立自強不輟的人，不在於以力服人贏過別人，而在於明白了解最大的敵人是自己，要能夠戰勝自己的褊狹私慾。文斯應當就是「自知者明」、「自勝者強」的寫照了。

文本起首第一句話:「有一天，你所認識的人，已經死去的會比活著的要多。」已經死去的，文斯已數到63。這句饒富意味的話，對漸入中年的人而言，想必有深獲吾心的淒涼感觸才是。

傑斯・沃爾特（美國籍，1965-）是暢銷書排行榜的常客，《公民文斯》獲得很多好評，如華盛頓郵報就評列為年度最佳好書。此外，刊行於2012年的《美麗的廢墟》，曾登上《紐約時報》暢銷書排行榜冠軍。一本有趣吸睛，教人省思的好讀的書。

我讀我見

凡事有規矩。

一、文斯是一個具有執行力和行動力的人物，深諳「錯誤可以改正，失敗可以改進，但是無作為卻是悔恨的種子！」的道理，面對嚴峻挑戰，能拋開恐懼。他可以選擇，選擇行動。就如艾美・史賓瑟《逆境的光明面》[3] 告訴我們：「問問你自己，搞懂你的『為什麼』，揪出那些讓你重蹈覆轍的人事物，可以逼出『怎麼做』的應對力量。」

二、只想保住自己性命的人，擁有投票權有什麼意義呢？一張選票可以成就大改變。也許我們會面對「你到底準備投給哪一隻蠢豬？」或者「正像人們所說的，兩個爛蘋果之間沒什麼好選的。[4]」的窘境，可是在選舉投票那一天，人民絕對是國家的主人（頭家）！因此，為了保有安居樂業幸福的日子，行使投票權時的確需要慎重。《公民文斯》喚起我們一定要投票去，睜大眼睛，投給那個比較不蠢、比較不爛的吧！？

【延伸好讀】艾美・史賓瑟，《逆境的光明面：自信的100種訓練》，蔡宜容譯，本事出版，315面；21公分（2016. 05）。

注釋

1. 卡特（James Earl "Jimmy" Carter, Jr., 1924-）美國第39任總統（1977-1981）。雷根（Ronald Wilson Reagan, 1911-2004）第40任美國總統（1981-1989）。1978年，卡特宣布與中華民國斷交轉而承認中華人民共和國，卸任後，積極為國際和平奔走，一直有「模範卸任總統」之稱，在2002年獲得諾貝爾和平獎。一個流行的笑話：卡特總統不當總統時，比當總統時更稱職。參見《維基百科》〈吉米・卡特〉。
2. 證人保護計畫，是美國聯邦政府用來保護證人不受到人身傷害的一個措施。他們給予證人新的身份，安置在一個不會被認出來的新城市，並提供謀生技能訓練讓證人為自己工作賺錢生活。因為證人宛如從人間蒸發不見了，所以又稱為「蒸發密令」。
3. 艾美・史賓瑟，《逆境的光明面：自信的100種訓練》，蔡宜容譯，本事出版（2016.05）。這本勵志書，建議我們「愈早養成挖掘事物光明面的習慣，它就愈快成為第二天性」。書中列舉了100種逆境，並予以分類，我們可就需要選擇來讀，鍛鍊出凡事往好的地方想的第二天性。
4. 莎士比亞，《馴悍記》，方平譯，木馬文化出版（2001.09）。

27 與其抱怨不如讚賞

——爬樹的女人：在樹冠實現夢想的田野生物學家

書名：爬樹的女人：在樹冠實現夢想的田野生物學家（*Life in the Treetops: Adventures of a Woman in the Field Biology*） 359 面；21 公分

著者：瑪格麗特・羅曼（Margaret D. Lowman）

譯者：林憶珊

時報文化出版（2016.03）

> 當你的朋友傾訴他的心聲，不要害怕自己心中的「不」，也不要隱瞞你心中的「是」。
>
> ～哈里利・紀伯倫《先知》

選擇較少人走的那一條孤獨的道路，你的人生就會不一樣。作者瑪格麗特・羅曼[1]出於智慧遠見，依著自己的意願，步步踏實終於在高高的樹冠層[2]實現她的夢想並嶄露頭角，造就自己成為樹冠層生態研究的先驅和頂尖的田野生物學家。在少數當代傑出知名的女性科學家中，如若提起以研究黑猩猩著稱的珍古德

（Dame Jane Goodall, 1934-）時，大家就會聯想起爬樹的田野生物學家瑪格麗特・羅曼。

這本書不是小說，而是回憶錄。它是作者足跡遍布各大洲，爬到高聳顫危的樹頂中孤軍奮戰數千多個小時的紀實，委婉流暢細訴在難以想像的惡劣環境裡，例如像是科學研究與家庭如何兼顧、沒有同為女性的導師給予貼心指引解惑、處在一個過往只由男性宰制的科學界她面臨的困境、在偏遠荒蕪杳無人煙的茂密雨林如何避險存活和採樣調查研究、刻苦訓練自己成為爬樹達人等。面對諸如上述各種嚴峻挑戰，她又是怎麼去克服困難的？所以這也是她精彩的生命冒險與探索故事，我們看到她的不屈不撓，奮戰到底的決心。字裡行間她也顯露憂慮雨林會消失，認為森林保育極其重要，呼籲必須要有宏觀遠見的森林管理政策，才能拯救多災多難的地球。

本書值得滿懷好奇心想一窺田野生（植）物奧秘的人仔細一讀，從中一定可以獲得很多生物知識和有趣的事。

森林是多樣性生物的棲息休憩地、對地球碳循環有著重大意義、可以鞏固土壤並涵養水分，這些功用都是來自樹葉能夠進行光合作用和蒸散作用。葉子是植物很重要的的營養器官，有些多年生的植物葉子壽命可超過12年。「森林是草食性昆蟲的天堂」，遮蔽天空層層交疊的樹葉是牠們的美食饗宴，但彼此是處在均衡狀態之中嗎？

在1970年代，對於樹冠生態的科學研究是相當貧乏蒼白，而且要抵達3、40公尺高的森林樹冠也是困難重重（例如爬樹需要充沛的體力），樹冠層研究者理所當然清一色均為男性。然而作者不懼性別差異大膽地投入，昂首闊步、忙碌奔波、餐風露宿於各大洲雨林之間，想替自己也替女性在此一領域掙得一席之地。

一般而言，位於中低緯度的溫帶雨林與熱帶雨林向來是生物多樣性最高且最豐富，那兒還藏著很多不為人知的秘密，因而成為田野生物研究者的樂園。但是不會爬樹也失去在樹林間跳躍擺盪能力的人類，是怎樣運用富於創造力的大腦製作哪些工具去接近高聳的樹冠層？這又是一個實踐「工欲善其事 必先利其器」的有趣挑戰，作者曾自行開發許多爬樹技術以繩索進入樹冠層，後來也利用升降平台、起重機、熱氣球、空中走道[3]和樹屋。用這些工具在樹冠層進行觀察，獲得的資料數據遠勝於從地面用望遠鏡觀察到的結果。因此，瑪格麗特．羅曼就成了一個在樹頂討生活的科學家。

作者長時間滯留在樹冠層觀察植物和昆蟲的交互作用（食植行為）、觀察一些生物現象的發生時間和季節、氣候變化之間的關係（生物氣候學），研究植物為什麼在草食性昆蟲的攻擊下仍然得以倖存、剖析草食性動物是用什麼方法對付有毒植物、決定物種變遷汰換（平衡）的動力是啥。「找尋似乎毫不相關的事物間的關係」，她就如偵探般抽絲剝繭解開謎團，有過許多令人驚艷的重大發現，例如發現新種的甲蟲並以母校之名命名「古爾甲蟲」（The Gull beetle）。她的學術成就超越男性同儕，更為後來女性科學家樹立典範，贏得尊敬。

文本的最後一句話：「抱怨和讚嘆所耗費的力氣是一樣的，學習擁抱生命中的美好，是我人生珍貴的一課。」這是懷抱科學熱情的作者對生命歷程的深刻美好體悟，也是靈性智慧的結晶，令人回味良久，而深受感染。

最後，文本第226頁第2段有兩處似有外誤：「從十幾萬平方公里減少到六十八萬平方公里」、「從一百四十九萬平方公里減少到兩百七十一萬平方公里」，是不是前後數字均錯置了？

我讀我見

原因不會只有一種。

一、伊麗莎白・寇柏特《第六次大滅絕》[4]提到，包括砍伐熱帶雨林、改變大氣組成、使海洋酸化等等，正使我們自己的生存處於危險境界，並引述生態學家艾利希（Paul Ehrlich）：「在迫使其他物種滅絕的舉動中，人類正忙著鋸掉自己所棲息的枝幹。」人類是否已漸次點燃「第六次大滅絕」的火種呢？尊重所有生命，應該是一種吾人不許逃避的道德責任？

二、生物學家大衛・喬治・哈思克（David George Haskell）以一年的時間觀察一塊面積一平方公尺的老生林，追蹤大自然的四季變化，寫下暢銷的《森林秘境：生物學家的自然觀察年誌》。「哈思克觀察的面積很小，但卻成功地開啓了一扇大大的窗戶，讓我們從中窺見自然的奧祕。[5]」當我們走進公園或森林時，不妨放慢腳步舉頭認真觀察周遭樹木的葉子、花朵和昆蟲，也可蹲下仔細嗅聞落葉堆裡散逸的氣息土味，更可嘗試翻開一塊石頭看看底下忙碌的生命。也許認識自然界的複雜性，見到前所未見的景象，我們會對自己居住的世界發生興趣與珍愛。

【延伸好讀】大衛・喬治・哈思克，《森林秘境：生物學家的自然觀察年誌》，蕭寶森譯，商周出版，375面；21公分（2015.03）。

註釋

1.瑪格麗特・羅曼（Lowman Margaret）生於1953年，《爬樹的女人：在樹冠實現夢想的田野生物學家》原書出版於1999年，她曾在2014年應雪霸國家公園之邀來臺。

2.樹冠層（crown canopy）是雨林垂直層級當中的一層，由樹枝和樹葉緊密交疊成為傘形狀，通常高度為30公尺到45公尺，物種豐富多樣性最高。其他層級，有頂層（露生層）、冠下層、灌木層和地表層。參見〈什麼是樹冠層？〉https://world.mongabay.com/chinese-traditional/004.html。

3.主要來自學者研究的需求與建議。臺灣第一條兼具生態觀光（察）森林空中走廊搭建於南投溪頭臺大實驗林，2004年7月25日啟用。走廊全長180公尺、約22.6公尺（7層樓）高，蜿蜒於50年以上樹齡的台灣杉與柳杉木林中，讓人很容易親近樹冠層生態，為遊人必到的景點之一。詳見〈溪頭新景點──空中走廊〉http://www.stm.org.tw/newstm/shop/news/%E4%BC%91%E9%96%92/094/931111──溪頭新景點──空中走廊.htm。

4.伊麗莎白・寇柏特，《第六次大滅絕》，黃靜雅譯，遠見天下文化出版（2015.03.10，第一版第五次印行）。最近5億年的五次大滅絕如下：古生代的奧陶紀末大滅絕、晚泥盆紀大滅絕、中生代的二疊紀末大滅絕、晚三疊紀大滅絕、新生代的白堊紀末大滅絕。

5.大衛・喬治・哈思克，《森林秘境：生物學家的自然觀察年誌》，蕭寶森譯，商周出版（2015.03）。作者是生物學家，他在田納西州一塊僅1平方公尺的老生林，以1年的時間進行觀察追蹤大自然的四季變化。書中生動優雅地闡釋：「最小的微生物與最大的哺乳動物之間的關連，並描述了數千年乃至數百萬年來那些週而復始、不斷循環的生態體系。」此書獲得不少獎項，如2013年美國國家科學院最佳圖書獎、2012年國家戶外書籍獎、E.O.威爾遜　文學科學寫作獎等。

28 魚與熊掌不可得兼

——布魯克林

書名：布魯克林（*Brooklyn*）　263 面；20 公分
著者：柯姆・托賓（Colm Toibin）
譯者：陳佳琳
時報文化出版（2015.09）

> 如果說相對論和量子理論對我們所住宇宙有著重要含意，那麼演化論則是對我們在宇宙中所處位置有著重要含意。
>
> ～理查・狄威特
>
> 《世界觀—現代年輕人必懂的科學哲學與科學史》

《布魯克林》是一部溫馨感人的移民勵志小說，獲2009年柯斯達文學獎（Costa Book Awards），亦經改編拍成電影〈愛在他鄉〉[1]。這位愛爾蘭最重要的文學作家[2]，曾於2015年十二月中旬造訪臺灣。

布魯克林是美國紐約市的一個行政區[3]，那兒是愛爾蘭人、義大利人、猶太人、俄國人、非裔黑人等等諸多族裔的移民天堂。作者柯姆・托賓就是愛爾蘭人，由他來訴說一則年輕女孩愛爾蘭人艾莉絲的跨國移動，從愛爾蘭的恩尼思科西橫渡重洋到達美國的布魯克林闖天下的故事，應當是很恰當又貼切的不二人選了。

如果說《布魯克林》是柯姆・托賓版的《雙城記》[4]，應該也是滿恰當的。

《布魯克林》的故事發生在1950年代的愛爾蘭和美國，因此，作者舖陳出艾莉絲面對故鄉與他鄉溫情呼喚的拉扯、兩段難捨難分愛情的掙扎—舊愛是布魯克林的東尼或是新歡恩尼思科西的吉姆？她，想東想西、瞻前顧後、心猿意馬、躊躇徬徨，不過一旦面臨抉擇時刻卻能勇敢做出決定，不再糾結。她要揮別懵懂無知、青澀荒唐的歲月，「她真的該回布魯克林了」，成為理智成熟、忠誠負責的人。

美國曾被許為「是兒童的樂園，年輕人的戰場、老人的墳墓」，它是金碧輝煌的人間樂土，到處充滿挑戰、機會和希望，去了美國回來就彷若鍍上一層金。已非吳下阿蒙，不可同日而語了。文本中，姊姊若絲早就洞見移民美國的奧妙與必要，因此暗地裡想方設法送她到美國，由是艾莉絲期待眼前即將展開的偉大冒險，滿懷希望、夢幻，也帶著些微疑懼踏上新大陸，燦爛不凡的人生旅程就此啟航。

原先，艾莉絲在故鄉一直找不到合適的工作，經姊姊若絲暗中牽線安排下，終得飄洋過海來到布魯克林，因為有同鄉福樂德神父的幫忙，獲得一個差強人意的百貨公司櫃員職位，但她嚮往的是坐辦公室的工作。一方面是為了抒解濃濃的思鄉病，另一方面則是自己上進心的驅使，於是晚上到布魯克林學院修習帳務管理課程，這樣就忘了憂愁卻也充實了自己的學識，她寄望日後成為合格的帳務管理員。在這期間，因參加教會舉辦的舞會認識了義大利裔的東尼，兩人一見傾心墜入愛河。當得知艾莉絲因為姊姊若絲突然過世，要回去陪伴孤單的媽媽一段日子，東尼害怕因此失去艾莉絲遂要求完成秘密婚禮。

艾莉絲從布魯克林回到愛爾蘭，在家鄉旁人眼中的她是一個「身上帶著某種接近魅力的特質，讓她變得與過去完全不同了。」大家開始重視她的存在，於是工作找上她、有人愛上她。矛盾的是，多情的艾莉絲竟然陶醉迷失在吉姆引燃的愛的烈火中，「有時」會忘了自己與東尼的婚約，直到有一天她才突然醒悟，必須中止這場玩火式的愛情遊戲，趕快回到美國布魯克林東尼的懷抱，那兒才是她真正的安身立命之所。

文本描述艾莉絲不想在家鄉度過一成不變的人生，為追尋美國夢，隻身離家遠赴異鄉，勇於跟陌生的未知世界艱辛奮戰，力爭上游；至於與吉姆的愛，幸而能迷途知返，懸崖勒馬，不辜負東尼的一片癡情，這一些和真實世界頗為脗合、深具說服力的情節，讓我們一路讀來，興趣盎然並深受激勵振奮。尤其，書寫艾莉絲內心認知感覺上的掙扎與糾結，更是細膩入微，至為精彩。再者，作者對於兩地風土人情的觀察或人文反思，亦值得閱者再三斟酌玩味。

我讀我見

適應新環境是學習的一部分。

一、艾莉絲認為要出人頭地，就必須接受學校教育，努力讀書學習，獲取專業的知能，往後的日子就會變好。在《布魯克林有顆樹》[5]一書中，布魯克林小女孩法蘭西喜歡閱讀，工作之餘上暑期課程，接著還想跑到密西根大學念書，她的人生也開始變得不一樣了。我們從這二本小說，體悟出一個顛撲不破的信念－知識會改變人的命運和生活。

二、接觸並看過新的事物之後，我們的眼光會改變，視野也會益加開闊了。語云：「讀萬卷書，行萬里路」，誠如艾莉絲或法蘭西有了親身的經歷和體驗，兼具知識和見識，就能譜出不一樣的生命樂章。

【延伸好讀】貝蒂・史密斯（Betty Smith），《布魯克林有顆樹》，方柏林譯，大雁文化出版，500面；21公分（2010. 08）。

注釋

1.〈愛在他鄉〉已於2016年元月15日在臺灣上映。本片入圍奧斯卡最佳影片，身為愛爾蘭人的女主角莎雪羅南（Saoirse Ronan）演技精湛，亦讓她入圍奧斯卡最佳女主角。惜皆未得獎。

2.托賓生於愛爾蘭（1955-），有隨筆、長篇小說、短篇小說、劇本、詩等著作面世。托賓的作品主要描寫愛爾蘭社會、移居他鄉者的生活、個人身份與性取向的探索與堅持等。2011年，英國《觀察家報》將其選入「英國最重要的三百位知識分子」。詳見《維基百科》〈柯姆‧托賓〉。

3.紐約市面積廣大，分為5個行政區（布魯克林、皇后區、曼哈頓、布朗克斯和史泰登島），並與紐約州下轄的郡重疊。因此，布魯克林又稱 Kings county，亦即「金斯郡」或「國王郡」。在紐約市五大行政區中，布魯克林為人口最多的一區，文化、社會和種族極富多元性。詳見《維基百科》〈紐約〉、〈布魯克林〉。

4.《雙城記》（*A Tale of Two Cities*）是查爾斯‧約翰‧赫芬姆‧狄更斯（Charles John Huffam Dickens, 1812-1870）寫的一部以法國大革命為背景的長篇歷史小說。它的主旨是在闡述為了愛可以自我犧牲，書名中的「雙城」指的是巴黎與倫敦。見《維基百科》〈雙城記〉。

5.貝蒂‧史密斯（Betty Smith），《布魯克林有顆樹》，方柏林譯，大雁文化出版（2010.08）。全球最有影響力的節目主持人歐普拉說：「我想，在我成長過程中，讓我最受感動的一本書就是《布魯克林有棵樹》了。」紐約的布魯克林有一種樹，有人稱它為天堂樹，生存適應力很強，十一歲小女孩法蘭西，家裡院子就有一棵。此書描寫法蘭西如何在艱困的環境，像天堂樹般的堅韌，靠著撿破爛、勤閱讀，努力去改變自己，夢想有一個燦爛的未來在前頭等著。一部教人笑中含淚，淚中帶笑的小說。

29 為自己的行為負責

——琥珀的憤怒

書名：琥珀的憤怒（*The Amber Fury*） 317 面；21 公分
著者：娜塔莉・海恩斯（Natalie Haynes）
譯者：方淑惠
天培文化出版（2015.05）

我想大家都有不誠實的時候，沒有跟我說實話也是正確的決定。

～克莉絲汀娜・貝克・克蘭 《孤兒列車》

文本藉著古希臘悲劇，索福克勒斯《伊底帕斯王》（*Oidipous*）、埃斯庫羅斯《奧瑞斯提斯三部曲》（*Orestes*）[1]等的穿插，顯示這就是一則悲劇故事。它引申出人與人之間衝突、死亡、痛苦、掙扎與復仇的情節，末尾傳達一個意味深長的哀傷，並對司法制度做了某種程度的批判。當然，親情、友情與師生的愛，同時也瀰漫整個故事，讓閱者對於生命感到安心，甚至振奮。

年輕的戲劇導演艾莉克絲經歷一樁可怕犯罪事件，不得已離開倫敦到愛丁堡當戲劇心理治療老師，班上的梅兒是一個患有偏執傾向的16歲聽障少女。這兩位人物的相遇與激盪，使得她們的人生就此有了重大改變。

艾莉克絲的未婚夫路克是位律師，勸架不成反被對方殺死，兇手多明尼克僅以過失殺人罪判刑4年。為遠離傷心之地讓自己好過些，在昔日老師羅伯特的幫忙之下來到愛丁堡，在一個收容適應力有偏差的孩子的收容所教書。但這個重大選擇，卻給她自己帶來另一齣悲劇，令一個無辜者喪生、一個無辜者入獄。事後她反省，認為自己「錯」了：首先，不該離開倫敦放棄戲劇導演的工作；在課堂上，不該鼓勵孩子多讀希臘悲劇；不該跟學生說路克是被人殺死的；不該每週五路程遙遠的去到倫敦又馬上趕回來，……。

開始是，艾莉克絲內心蘊藏著深深的哀痛，她依然不時懷念路克。此外，因為多明尼克的刑期判得太輕，更也看不得多明尼克一旦假釋出獄即可與其女友凱特琳娜開始過好日子。受害者的她卻什麼都沒有，報復之念蠢蠢而動。

另一方面，聰明好學的梅兒聽從艾莉克絲的建議開始讀希臘神話劇本、每天寫日記，又基於好奇心的驅使，想要認識真正的艾莉克絲。於是與卡莉一起跟蹤艾莉克絲到倫敦攝政公園的一家咖啡館，亦也上網搜尋，加上羅伯特無意中也透露一些訊息給孩子們。梅兒將這些資訊拼湊後，已了解整個事件的來龍去脈，而且知道凱特琳娜就是那家咖啡館的店員。在最後一次的跟蹤，梅兒現身艾莉克絲面前，勸說著艾莉克絲必須採取行動、必須讓凱特琳娜付出代價，甚至說出，如果妳不去，就我去。果然，梅兒替艾莉克絲復仇了。最終，梅兒也要受到法律制裁，她認罪，為了保護艾莉克絲，甘之如飴。獄中梅兒最關切期待的事，是希望艾莉克絲生活能安頓下來，不要再像無根的浮萍隨波漂流了。

「人生是不斷抛擲的骰子。每件發生的事，都是偶然事件聚合的結果。只是水到渠成。[2]」以此觀之，艾莉克絲的作為和遭遇就像不斷抛擲的骰子，不知道下一刻會發生什麼？但如文本中，梅兒說的：「即使你沒辦法掌控自己的人生，也應該活得像你有選擇一樣。」、「我們都要為自己的行為負責。」最是值得思之再三的話了。

這本書的原名《*The Amber Fury*》，作者在故事尾聲做了交代，Amber（琥珀）是梅兒出獄後想要的新身分，希臘文是伊莉克特拉（Electra）[3]，也就是阿伽曼農和克呂泰的二女兒，她協助弟弟奧瑞斯提斯為父親復仇，殺死母親及其姘夫。此外，fury（暴怒）一字的 f 如係大寫，指的是希臘羅馬神話中的復仇三女神，作者是否以此影射路見不平，拔刀相助的梅兒呢？

悲劇之所以令人刻骨銘心，乃是「快樂的結局遠不如悲傷的結局來得浪漫」，因此教人愛不釋手的《琥珀的憤怒》就成為我們深刻的記憶，不容易遺忘，猶如以前讀過的悲劇故事。

我讀我見

人需要做點傻事。

一、梅兒為實質正義挺身而出，替艾莉克絲復仇，而且坦然勇敢面對牢獄之災，以更大的勇氣活著面對自己做過的事情，這種執著承擔與器度，在在令人動容。但這在文明國家是不可行的，逕行採取以牙還牙、以暴制暴的報復舉動，將使社會陷入冤冤相報，伊於胡底。歐普拉：「你的自我必須讓位，空出來的位置則由更大的同理心與諒解遞補。[4]」在一個文明而非野蠻的社會，我們人類的確需要更大的同理心與諒解，以療癒暴戾和非理性的病態。

二、此外，書中的某些觀點也值得吾人省思，例如有罪的壞人只要肯花大錢請到好律師，就會使得「罪與譴責和責任完全不相同」，因為這些律師為了讓客戶被判無罪，幾乎什麼手段花招都會做出來。無疑的，這令人覺得很不公平。

【延伸好讀】歐普拉（Orpah Gail Winfrey），《關於人生，我確實知道……——歐普拉的生命智慧》，沈維君譯，遠見天下文化出版，252面；21公分（2015.04）。

注釋

1.指《阿伽曼農》(*Agamenon*)、《奠酒人》(*Choephoroe*)、《和善女神》(*Eumenides*)三部曲。埃斯庫羅斯(Aeschylus, 525B.C.-456B.C.)、索福克勒斯(Sophocles, 496B.C.- 406B.C.)與歐里庇得斯(Euripides, 480B.C.-406B.C.)並稱古希臘三大悲劇作家。其中,埃斯庫羅斯史稱悲劇之父,他確立了悲劇的形式和內容。

2.小大衛・麥卡洛,《你並不特別》,謝佳真譯,平安文化出版(2015.06)。

3.Oedipus Complex(伊底帕斯情結或戀母情結),是指兒子親母反父的複合情結,它是佛洛伊德主張的一種觀點。其對應之詞,就是Electra Complex(伊莉克特拉情結或戀父情結),是指女兒親父反母的複合情結,它亦是佛洛伊德主張的一種觀點。

4.歐普拉(Orpah Gail Winfrey),《關於人生,我確實知道……──歐普拉的生命智慧》,沈維君譯,遠見天下文化出版(2015.04)。歐普拉(1954-)是深富盛名的媒體人,美國最具影響力的非洲裔名人之一。在這本書,她以喜悅、韌性、連結、感恩、潛能、敬畏、洞悉與力量等8個主題,婉轉剖析個人的閱歷和體悟,字字珠璣,俯拾皆是的名言佳句,予人莫大的鼓舞力量,例如:「日日細數發生在自己身上的好事,以此來感謝我的生命。」是一本充滿人生智慧的勵志書籍。

榮耀來自服從與配合演出

——半場無戰事

書名：半場無戰事（*Billy Lynn's Long Halftime Walk*） 349 面；21 公分

著者：班・方登（Ben Fountain）

譯者：張茂芸

時報文化出版（2015.04）

> 我們的問題， 是自己造成的，解鈴還是繫鈴人，因此解決那些問題，在我們能力範圍之內。
>
> ～賈德・戴蒙《第三種猩猩》

在一場莫名其妙的伊拉克戰爭中[1]，奮不顧身為「自由」而戰的美軍 B 連第二排第一班，他們的英勇愛國事蹟經由媒體傳遍全美，感覺就像報了九一一恐怖攻擊的仇，百姓庶眾莫不為之感動與驕傲。而記者口中的「B 班」（The Men of Bravo）就成了他們的代名詞。B 班英雄好漢八個人，奉召回國接受布希總統贈勳表揚，整整兩個星期國家巡迴凱旋旅行，在感恩節那天嚴冬沍寒、滴水成凍，他們來到最後一站達拉斯的體育場，心裡一直疑慮著中場表演不知要幹嘛。故事就是從此延伸散漫，有回憶有瞻望更有當下。

「單純地接受表揚，居然搞得這麼複雜」。作者的無與倫比的想像力和縝密細微的觀察，將美國的民情人性做了淋漓盡致的描繪，溫和含蓄的批判嘲諷，其中又蘊涵交織血淚與詼諧，讓人反覆再三咀嚼回味－美國就是這樣？人性就是這樣？這本小說是班・方登處女作，然而一鳴驚人，膺選《時代雜誌》年度十大好書、國家書評人獎年度最佳小說等殊榮。之後，復以短篇小說集《與切・格瓦拉的短暫相遇》大享盛名。《半場無戰事》亦改編拍成電影〈比利・林恩的中場戰事〉，由臺籍知名導演李安執導。

書名《*Billy Lynn's Long Halftime Walk*》至堪玩味，字面的意思是「比利・林恩的悠長半（中）場散步」。首先，它標明這是有關二等兵19歲比利的故事，透過他純真的眼睛讓大家看到美國的樣貌。次者，「halftime」指球賽在半（中）場休息的短暫時間（美式足球為15分鐘）但為什麼該字之前又加上悠長、漫長的"long"？是暗喻文本的反諷性格嗎？

再者，為何選上美式足球大賽為場景？而且，B 班來到的那一天就是感恩節，班・方登如此安排布局是無意的或是別具意涵？所幸，文本末尾有一篇《生命如不朽繁星》作者安東尼・馬拉的精彩導讀〈一場殘酷的成人禮〉[2]，文中讚揚班・方登以過人的文采寫出一本很棒的小說，它超越戰爭文學，是一部探討美國當代生活和社會問題的絕佳小說。此外，他也著墨於被視為國球的美式足球的本質、感恩節的起源，來說明不該忘了四百年來印第安人受到白人攻城掠地和忘恩負義的屈辱的歷史事實。這些，似乎說出班・方登內心的話？也解答了讀者心中的疑問？

B 班的凱旋之旅，一路上就是簽名拍照、接受訪問。所到之處，大家都說他們是這個國家的驕傲與喜悅。鋪天蓋地的新聞報導，滿是正面頌揚之詞。事實上，他們就像是活的道具與樣板，從東岸跑到西岸，在一些「搖擺州」[3]的城市，大力為國家宣揚反恐戰爭的必然，激勵愛國的情操。

有人認為，他們的故事還真的是感動了這個國家，好萊塢製片人亞伯特就放言，如果拍成電影，B 班每個人的故事都值得十萬元，外加抽成……。於是，大家都陶醉沉浸在淘金美夢中。然而，比利的腦海裡另想著很多事情。他想到施洛姆的死狀，覺得「他的靈魂穿過我的身體漂走了」、想到斷腿的雷克、想到那悲慘的一天，「一片火紅的模糊」。B 班每個人都跟死神擦身而過，能存活下來都是奇蹟。一想到還要回伊拉克便覺痛苦恐慌，以後的11個月，要怎麼熬過去呢？但他不會選擇當個逃兵的。戰爭與死亡，讓他看事情看得更遠！

比利努力思索那枚銀星勳章的意義？勳章底下那最核心的精神？他的生命被謊言所統治，凱旋之旅不過是政治正確之旅而已。「他的現實生活，就是為這些人的現實生活當奴才」。到頭來，B 班只不過是當權者如假包換的政策宣揚道具與樣板，用過即丟。至於原先高唱入雲的拍電影賺大錢，亦如鏡花水月，海市蜃樓，空歡喜一場罷了。「帶我們回戰場吧」。凱旋之旅，惟一能在比利心版烙下深深印記的，當是在達拉斯的體育場記者會碰到啦啦隊員斐森。一見傾心，互許終身。比利與斐森的愛來得突然熱烈但是純潔真誠，讓我們讀來為之心碎。

我讀我見

誠實的扯謊。

一、理性和良知是與生俱來的[4]，因此有些事我們自覺該放手去做，做了會心安理得；有些事我們自覺不該去做，做了會良心不安。文本中，很多人問比利是否想過成為英雄？他的答案是：「我從來沒這樣想過。」一如在《今天，我們還活著》[5]中，美軍訊問德軍士兵馬提亞斯，為什麼沒把猶太小女孩荷妮除掉？他坦承回說：「我不知道。」是否就是深藏在我們靈魂的理性和良知，促使我們自覺地行所當行、止所當止，絲毫沒有功名利祿念頭的誘引牽絆？

二、比利的二姊凱瑟琳：「我只是說，這些人（指逃避兵役刻意躲過越戰的一些檯面上的大人物，如布希、錢尼……。）拼命想打仗，就叫他們自己去打啊。」這段話的情景，讓我們感同身受心有戚戚焉。依此看來，自己躲在背後叫別人衝鋒陷陣血染沙場，「別人的囝仔死沒了」，中外皆然於今為烈。戰爭發動的決策者或鼓吹者，往往以為自己不必投入前線，也未曾嚐過跟死亡打交道的恐怖滋味，難道不知道人類自相殘殺終究會導致互相毀滅的淒慘下場。會賠上你我性命的事，豈可率爾為之？

三、荒謬已極的伊拉克戰爭是美國扮演世界警察的產物之一，同樣的，美國在中西亞或南美洲的一些國家也曾進行干涉內政顛覆政權的「遊戲」。我們可以在蔡增家《上一堂最生動的國際關係：20部經典電影告訴你世界原來是這個樣子》找到例子，從伊朗、敘利亞、阿富汗等等國家政權的鬥爭更迭，見到端倪。

【延伸好讀】艾曼紐埃・皮侯特（Emmanuelle Pirotte），《今天，我們還活著》，胡萬鑑譯，大塊文化出版，215面；20公分（2017.05）。

注釋

1.伊拉克戰爭（2003年3月20日-2011年12月18日）是二十一世紀初美、英為主的多國部隊入侵伊拉克，推翻海珊政權為目標的一場戰爭。美英認為伊拉克擁有大規模殺傷性武器（WMD），具有所謂的「迫在眉睫的威脅」。他們把聯合國晾在一旁，逕行對伊拉克發動開啟長達八年的伊拉克戰爭。事後證明，根據的情報是錯誤的，因為並沒發現所謂的「大規模殺傷性武器」。詳見《維基百科》〈伊拉克戰爭〉。

2.《生命如不朽繁星》一書的導介，詳見《就這麼有品　看小說》（2015）。美國傳統上，11月的第四個禮拜四是感恩節，歷史上第一個感恩節在1621年出現，那是清教徒在印第安人協助下有了大豐收，為表感謝乃邀印第安人一起參加慶典。以後，此一慶典就相沿成習。見《維基百科》〈感恩節〉。

3.參見《維基百科》〈搖擺州〉。搖擺州（swing state，也稱游離州）是指那些沒有一個單一的候選人或政黨擁有壓倒性支持度以取得選舉人票的州。例如，文本提到俄亥俄州的首府哥倫布市，就是「搖擺州」其中一例。

4.〈世界人權宣言〉第一條：「……，天賦理性和良知。……。」參見克莉絲汀·舒茲-萊斯（Christine Schulz-Reiss），《一個人值多少錢，誰是現代奴隸？：捍衛權利的基本知識》（*Nachgefragt-Menschenrechte und Demokratie: Basiswissen zum Mitreden*），陳中芷譯，麥田出版（2017.05）。這本書是「向下扎根！德國教育的公民思辨課程」系列之一，著眼於人權和人類尊嚴與民主的議題，主張人權高於國家。

5.艾曼紐埃·皮侯特（Emmanuelle Pirotte），《今天，我們還活著》，胡萬鑑譯，大塊文化出版（2017.05）。敘述一位身手矯健殺人不眨眼且精通數國語言的德國士兵，扮美軍滲透到比利時，卻與一個猶太小女孩因著眼神交會而沒殺掉她，反而帶著她開始一段危機重重命懸一線的逃亡旅程。這一部小說，為艾曼紐埃·皮侯特掙得法國重要的文學小說新人獎項。

四

追尋實踐

31 什麼也阻擋不了你

——長路

書名：長路（*The Road*）　285 面；21 公分

著者：戈馬克・麥卡錫（Cormac McCarthy）

譯者：毛雅芬

麥田出版（2008.10）

> 我們就被困在目前這個琥珀中，沒有為什麼。你看過困在琥珀裡的蟲嗎？
>
> ～馮內果《第五號屠宰場》

出版於2006年的《長路》曾獲得2007年普立茲小說獎等諸多重要獎項，也擁有很多好書評，普遍認為它是一部將會影響未來一百年的不朽著作。2009年該書被改編為電影《末日危途》。作者麥卡錫（1933-）被譽為是海明威與福克納（William Cuthbert Faulkner, 1897-1962）的唯一後繼者，2009年獲美國筆會頒發索爾・貝婁（Saul Bellow）文學終生成就獎[1]。

屏氣凝神看完這部末日小說，內心有無比的震撼，留下既悲傷又驚恐的烙印。讓我們感嘆萬物之靈的人類，在極端時刻居然也會獵殺對方，析骨而爨，烹而食之。「當一切食物都已蕩然無存時，唯一剩下來能吃的便是對方。」這是一個令人怵目驚心的淒慘景況。缺糧的悲慘辛酸世界，源自一場未明言的大災難，造成環境極端惡化，生物多樣性消失。然而，作者也傳達出父子至情至性的自然洋溢、鍥而不捨與奮力向前的堅強意志，則是教人感動。

書本的底頁，這麼概括這本書：「這是一個父親寫給孩子的故事，是一篇懾人心神的預言，也是獻給全世界的一首優美輓歌。」

故事開始於一場大災難之後數年，其時世界處於無政府狀態，既有文明已經被摧毀，道德與法治已坍塌。天空魆黑陰暗，大地煙灰塵霧，寒風料峭刺骨，房子或傾圮崩壞或闃其無人，曾有「夾岸曉煙楊柳綠，滿園春色杏花紅」的豐饒景色一夜消失。野有餓莩，路有凍死骨，幾乎所有生命也都凋零殆盡，只有「千山鳥飛絕，萬徑人蹤滅」的死寂畫面差可比擬。舊有的世界躲到別的地方去了，如今是滿目荒蕪淒涼的景象。不過，還是有少數的人脫難倖存下來，他們踽踽跋涉往蔚藍南方的大路上。這些倖存者率皆鳥面鵠形，人有飢色，鶉衣百結，汙穢羶臭，惟求生的本能驅使他們掙扎活下去。

當整個世界宛如末日危城一般，沒有東西可以吃時，會發生什麼事？我們可以想像，環境周遭是盜賊惡棍充斥、偷搶殺戮四起，舉目所見是處處不安全，人人不信任。書中的兩位主要人物—沒名沒姓的一對父子，形容瘦削的男人和單薄脆弱的孩子，不幸就是處身在這等境遇。但是，他們相互鼓勵安慰且意志堅定，「彼此就是對方一整個世界」。槍不離身的父親為了保護孩子備嘗諸多艱難險阻，甚至多次徘徊鬼門關前，父子也目睹人類相殘同黨互食的慘狀。孩子是他生存下去的動力。在天寒地凍又飢腸轆轆、筋疲力竭、驚懼不安的漫漫長路上，充滿親情至性的父子交談，顯示父親的理性冷靜和孩子的天真純潔。父親感受到溫暖，孩子學到做人。就是這樣，他們二人一路向前不回頭。雖然，稍早的時日，孩子的母親受不了人間地獄的折磨，惶惶不可終日，沒有勇氣伴隨他們走下去。離開。不知所終。

這是一個食人的世界，擔心害怕的是人，恐懼有人跟蹤。「好人躲起來，躲誰？躲彼此。」男子不覺得路上有好人，因此教孩子如何用槍自衛。但孩子相信路上有好人。男子說，「我們不吃人肉，因為我們是好人，而且是神的使者。」、「我們會死嗎？會。但不是現在。」、「好人鍥而不捨，不輕言放棄。」經常掛在嘴上的一句話是，一切都會沒事，都會沒事的。孩子天性良善，處於危境仍一心想要救人、分享食物，當他們找到地窖有「這世界業已失卻的豐美」的儲藏時，小孩沒忘感恩：「親愛的人，感謝你們留下食物和日用品。……你們在天堂喜樂。」

在故事的尾聲，一路上咳血不止的男子，終於不敵死神的召喚，臨死前猶不忘交代小孩，記得隨時帶槍、繼續往南走、繼續與父親對話、去找好人。傷心欲絕的小孩，三天後，碰到一名男子……我們的故事不錯，是個好故事，而且有價值。

故事沒寫完。讀者們很想知道，小孩最後有沒有走到心目中的南方天堂？作者留給我們一個自由的想像空間，使這個好故事更添無窮韻味。

我讀我見

就是往前走。

一、小說中描述的世界是荒煙衰草，萬物蕭索。父子二人從北往南，一路上簞瓢屢空且又驚恐萬狀，但為生存搏鬥掙扎，始終不放棄。誠然，人以食為天，因為「如果吃不飽，就沒有然後了」[2]。換個場景，我們看到不少街頭求生者（稱街友、遊民或流浪漢）在都市叢林努力讓自己活下去，他們是如何在都市隙縫尋找到食物與睡處和娛樂？如何逃避驅趕，不討人厭惡？或者，你也萌發體驗街頭流浪漢生活的念頭，享受不同生活方式的滋味，隨之改變自己，認識自己？

二、古籍載有：「敝邑易子而食，析骸以爨」或「析骨而炊，易子而食」[3]，用以形容天災人禍時，糧盡援絕的悲慘困境。小說中，描寫的景況正是飢寒交迫之下的同類相食，每讀至此輒顫慄不已。在驚悚小說與電影中亦不乏以同類相食為題的，如知名的小說與影片《沉默的羔羊》。事實上，在歷史上多次出現因戰亂饑荒而出現的「人相食」事件[4]。「以前發生過的事，以後也會再發生」，但只要地球沒有戰爭、全球不會暖化，大家飽食暖衣，在文明社會應就不致發生食人的恐怖事了。

【延伸好讀】人生百味，《街頭生存指南：城市狹縫求生兼作樂的第一堂課》，行人文化實驗室，143面；21公分（2017.01）。

注釋

1.參見《維基百科》〈戈馬克·麥卡錫〉與〈長路〉。麥卡錫另有一本著作經改編拍成電影〈險路勿近〉（*No Country for Old Men*），獲得第80屆（2008）奧斯卡金像獎包括最佳影片在內的4項大獎，是該屆最大贏家。詳見《維基百科》〈險路勿近〉。

2.人生百味，《街頭生存指南：城市狹縫求生兼作樂的第一堂課》，行人文化實驗室（2017.01）。一本透過田野記錄，闡述街頭生存者求生過活訣竅的社會病理書籍。書中強調的是，如何善用有限資源，讓自己好好活下去。像是提到餐廳的「待用餐」概念，這的確是一個很貼心的設計，行善者有了出口，需要者免於飢餓。又如，圖書館的假日電影院（名稱各異），也提供很棒的影片可供街頭生存者觀賞。

3.引自《左傳·宣公十五年》：「敝邑易子而食，析骸以爨。」與《史記·卷三八·宋微子世家》：「王問：『城中如何？』曰：『析骨而炊，易子而食。』」。參見《教育部 重編國語辭典修訂本》〈易子而食〉。

4.參見《維基百科》〈食人〉、〈同類相食〉。

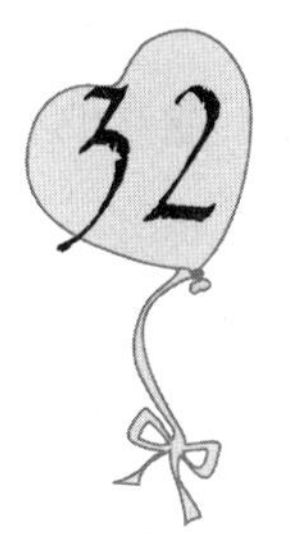

32 精誠所至，金石為開

——尋找阿嘉莎

書名：尋找阿嘉莎（*One Came Home*） 318 面；22 公分
著者：艾米‧汀柏雷（Amy Timberlake）
譯者：黃聿君
遠見天下文化出版（2015.03）

> 不管像歌德一樣騎在馬上，像海明威一樣站著，或像馬克吐溫一樣躺著，我都有辦法寫作。
>
> ～妮可‧克勞思《大宅》

《尋找阿嘉莎》這部青少年文學偵探冒險小說，曾獲得美國2014年紐伯瑞文學獎（Newbery Medal）銀獎[1]，美國藍緞帶好書獎等獎項，也獲得報章雜誌如華盛頓郵報等的大力推薦。國內，它是《中國時報》2015年開卷好書獎的最佳青少年圖書及童書。如此輝煌的獲獎紀錄，實在讓人難以忽略它的存在。

文本的主述者為13歲的喬琪，發生在1871年的威斯康辛州中南部，是年史上規模最大的旅（野）鴿群築巢於該地區[2]，此外當年芝加哥和密西根湖沿岸許多小鎮都經歷大火的肆虐，一波波災民潮湧入該地區的各小城鎮。因此，這本小說除了有曲折離奇的精采情節，也兼敘了物種保護和災民人道關懷的議題。

故事首先訴說喬琪參加了姊姊阿嘉莎（18歲）的「第一場葬禮」，但她直覺那不會是阿嘉莎的「最後一場葬禮」，她要扮演追查真相的偵探，不管阿嘉莎是死是活，絕不善罷甘休。因為警長千里追尋，帶回的是一具殘缺不全的無名屍體，只因同樣有一頭紅髮和藍色禮服，大家就以為那是阿嘉莎無疑。在葬禮中，喬琪想著那應該不是阿嘉莎，她迫切希望知道不告而別的姊姊到底發生什麼事情。弔詭的是，引發阿嘉莎出走的原因反而是喬琪自己點火造成的。天真又大嘴巴的她誤讀一項動作，認定姊姊愛的是比利，於是趕著去跟歐姆斯提打小報告，結果導致取消了婚約。事後，阿嘉莎並沒有責怪妹妹的率性，但自己深感沮喪失望，一聲不響地隨著獵鴿人離家出走。

姊妹情篤，天真又敏銳的喬琪開始盤算計畫，要以一人之力尋覓姊姊的去向，期待在發現屍體的地方，找到留言或蛛絲馬跡。她閱讀《橫越大草原：陸路探險指南》[3]、儲備一週的物資、向比利買馬並且留下字條給媽媽和外公，此外擁有神槍手美譽的喬琪更偷偷帶了一把春田步槍。接著，就是一段穿越漫天羽毛飛舞的旅鴿築巢區，跋山涉水，深入鳥不生蛋的地方。進行攸關生命存亡的打聽、尋找、查訪，甚至發生槍戰，過程驚心動魄。

作者擅於營造「在意想不到的地方碰到意想不到的人物和事情」，每每令我們閱者的感官情緒亦也隨之高亢或深沉。例如，比利「主動」跟著一起上路（照顧保護她？）；有一家子的小女孩的頭髮是紅色，髮上繫綁的緞帶跟藍色禮服布料一樣，蹊蹺的是，小女孩的姊姊妲琳跟男友私奔，如今杳然無蹤；喬琪查訪得知，有一位女孩清早搭上第一班火車離開多哈羅；一個想也想不到的奇事，他們無意中發現印製偽鈔的洞穴，引來殺機，也就是後來騰載報紙的「神射女孩扳倒偽鈔集團」事件了。

歷險歸來後，喬琪日日帶著歉意想念著阿嘉莎，她寄出3封信為尋找阿嘉莎做最後的努力。大家都在思索，阿嘉莎究竟怎麼了？如果還活著，人在哪兒呢？直到有一天，寄來了一封信。而後，妲琳的母親也突然出現喬琪家門口。終於水落石出，真相大白了！

在這裡引述一下美國《賞鳥》雜誌的評語：「這書設定的讀者群是中學生，但老實說，對我們這些老大不小的讀者來說也是好看到不行啊！」我深有同感呢，是誰說的，青少年小說只適合青少年讀啊？

艾米・汀柏蕾是美國籍作家，也是業餘賞鳥家、農夫市集愛好者。她向來堅信最棒的故事都發生在美國中西部。另著有小說《*That Girl Lucy Moon*》、繪本《*The Dirty Cowboy*》等。

我讀我見

你為什麼那樣做？

一、文本「作者的話」提到 1914 年捕獲的最後一隻旅（野）鴿死於辛辛那提動物園，這一物種從此步上滅絕之路。作者隱隱然呼喚世人要珍愛每種生物，為物種多元共存共榮與保護而努力。就如，戴夫・古爾森《一位昆蟲學家的草地探險》中說的，地球上的生命無比奇妙，而且複雜到令人難以置信，我們莫非瘋了才會不停地加以破壞。又說，倘若這些生物就此消失，將是多麼可惜的事，再者，牠們的生命與我們的生命是密不可分交織在一起[4]。在其他殘存的物種也瀕危的境況下，此刻我們是該採取積極行動的。

二、面對大家認為理所當然的事，喬琪卻抱著懷疑的態度，不放過任何線索追查到底，鑽得比別人深，而且絕不輕言放棄，使得她的人生故事比其他人精采。喬琪的舉止作為，非應僅是小說中的情節才會發生，映照在現實生活中的確也可以成為學習典範了。

【延伸好讀】戴夫・古爾森（Dave Goulson），《一位昆蟲學家的草地探險》，林金源譯，木馬文化出版，335面；21公分（2015.07）。

注釋

1.紐伯瑞文學獎是美國兒童文學界最負盛名的兩個獎項之一（另一個是 Caldecott 獎章），以十八世紀英國少年書籍出版商約翰·紐伯瑞（John Newbery）命名，於1921年由梅爾徹（Frederic Gershom Melcher）提出，1922年開始頒發，是世界上第一個兒童讀物獎。該獎限定作者必須是美國公民或居民，並且必須在前一年以英語或美國語首次或同時出版。詳見《維基百科》〈紐伯瑞獎〉、〈Newbery Medal〉。

2.作者自述，在讀過蕭爾格《旅鴿史》後，深受感動並激發醞釀書寫《尋找阿嘉莎》這本小說。易言之，沒有《旅鴿史》就沒有《尋找阿嘉莎》這個故事的出現。此外，作者亦也建議讀者找出著名的博物學家、鳥類學家約翰·詹姆斯·奧杜邦（John James Audubon, 1785-1851）《美洲鳥類》來閱讀。奧杜邦說：「旅鴿，在美洲稱為野鴿，牠們的移動速度極快……」。

3.《橫越大草原：陸路探險指南》的作者是藍道夫·馬西。艾米·汀柏蕾自述，這本書提供了她寫作上很有用的資訊。

4.戴夫·古爾森（Dave Goulson），《一位昆蟲學家的草地探險》，林金源譯，木馬文化出版（2015.07）。一本關懷生態保育，提倡物種保護的書。對於想跨界到昆蟲保育領域的博雅讀者，此書可以提供很多這方面的知識。戴夫·古爾森是英國籍的保育昆蟲學家，他在法國鄉間的一座荒廢農莊，長期從事棲地野生昆蟲觀察與研究，並記錄下其中的點滴與成果和感觸。

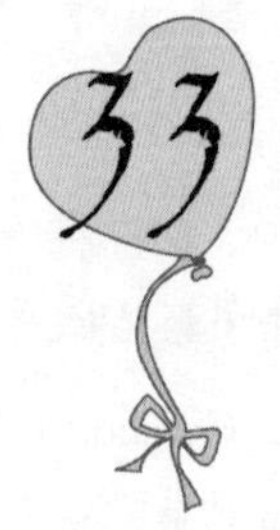

33 人生識字快活過

——偷書賊

書名：偷書賊（*The Book Thief*） 478 面；21 公分
著者：馬格斯．朱薩克（Markus Zusak）
譯者：呂玉嬋
木馬文化出版（2015.08，一版 77 刷）

你只是天性中恰好有這種暴力玩意兒，是不是？暴力和竊盜，竊盜是暴力的一面。

～安東尼．伯吉斯《發條橘子》

澳洲作家馬格斯．朱薩克（1975-）在2005年出版《偷書賊》，這一部歷史虛構的青少年小說，在紐約時報暢銷榜盤踞超過四個寒暑，也得過德國青年文學獎等諸多獎項。《偷書賊》與《傳信人》（2002）為其代表作，是國際書壇的暢銷書，膾炙人口。馬格斯的母親麗莎為德國人，父親赫爾穆特則是奧地利人，在1950年代末移民到澳大利亞。作者自言，《偷書賊》的構想來自父母親口述年少時（二戰時期）目睹耳聞的情景，他將這些故事牢記在心終而幻化成巧妙的文字，絕美的篇章，《偷書賊》因此傳頌不斷。

宋朝蘇軾曾在一首詩前兩句寫道：「人生識字憂患始，姓名粗記可以休。[1]」它的意思是人生的煩惱始自讀了太多的書、認識了太多字，因此只要會讀寫自己的姓名就可以了。不過，在《偷書賊》書裡，我們讀到一個不同的境況。小女孩莉賽爾，別稱偷書賊。學然後知不足。她一次次偷書並努力識字念書，甚至在地下室寫了一本書《偷書賊》，替自己開啟一個嶄新的世界。她用朗讀，為戰爭而受到磨難的大家，帶來生命希望和心靈平靜。更了不起的，她也動筆書寫自己的故事，卻因而救了自己一命呢。

《偷書賊》發生在1939年到1945年，正是第二次世界大戰的時期，地點在德國德國慕尼黑郊區的墨沁鎮。德國因民族主義和復仇主義的深化，出兵波蘭再次發動戰爭，引爆全球性軍事衝突並帶來世界的大災難。窮兵黷武的納粹德國，不僅對外大動干戈，對國內及占領區亦大力整肅共產主義份子和滅絕猶太人。後者，駭人聽聞的「猶太人問題的最終解決方案」，使600萬的猶太人遭到屠殺。文本中，就提到莉賽爾的父親（共產主義份子？）下落不明，母親亦然，而德裔猶太人麥克斯宛如驚弓之鳥。

有趣的是，故事的敘事者是一個叫死神的「人」，祂牠除了帶走人類、收集可憐的靈魂之外，也娓娓道來莉賽爾的悲歡成長始末──一個偷書賊的故事，死神並且對人類做了評論，例如：「我不斷地高估人類，也不斷低估他們。我很難給人類做出一個正確的評價。同樣是人，怎麼有人如此邪惡，又有人如此光明燦爛呢！」、「人類的文字與故事怎麼可以這麼具有毀滅性，又同時這麼光輝呢？」這裡，讓我們隱約知曉祂指的是，民賊獨夫希特勒《我的奮鬥》[2]vs 悲天憫人莉賽爾《偷書賊》？

書中提及，希特勒深知文字的力量無遠弗屆、貫通古今，可以「用文字來統治世界」，於是「元首大聲嚷嚷他的文字，散播他的文字。」從而，《我的奮鬥》人手一冊，就像是護身符，「希特勒萬歲！」眾口一詞，響徹雲霄。

莉賽爾是小說中的最重要的角色，故事因她而起，也因她而止。9歲時，她成為漢斯家庭的養女，生身父母杳無音信，唯一的弟弟也死了。惡夢中常見到弟弟，經常思念媽媽。幸運的很，養父母待她如己出，尤其養父漢斯開始教她識字讀書，而所用的眾多書本都是她偷竊來的。她以為唯有持續讀書，增進新知才能開啟機會之門。誠如宋・朱熹〈觀書有感〉詩：「問渠哪得清如許，為有源頭活水來。」莉賽爾嗜讀如命，除了認識文字，也能駕馭文字。「正確掌握了文字的力量」。在鎮長夫人依爾莎・赫曼鼓勵下她開始寫作，她找到一個好題目《偷書賊》—形同一己的自傳。擁有文字力量的莉賽爾，也曾在盟軍轟炸時為街坊鄰舍朗讀，俾以度過恐怖的時光，安撫焦慮的心靈，「空中洋溢著希望與生機」，她成了大家的精神支柱。

故事中的一大轉折，是漢斯冒著危險收容偷藏猶太人麥克斯，這需要相當大的智慧和勇氣。在地下室，藉著文字，莉賽爾與麥克斯成了可以交換心得的好朋友。莉賽爾為麥克斯念書朗讀小說，麥克斯則製作塗鴉本《監看者》與《抖字手》，為她帶來生命裡最美麗的兩個篇章。不過，數年之後麥克斯終究無法逃離納粹的魔掌，被送往集中營，這成為莉賽爾日夜悲情的懸念。

戰爭意味著死亡。1942年是德國飽受地毯式轟炸的歲月，有一次遲遲才響起的空襲警報聲，使睡夢中的鎮民來不及躲入地下室，因而全部由死神接走了。唯獨在自家地下室，一再琢磨誦讀《偷書賊》手稿的莉賽爾倖免於難，她在瓦礫堆中被救出來。深愛的爸媽……等等都死了，包括青梅竹馬的魯迪也是，她哀傷哭泣。已完成的《偷書賊》，在混亂中被扔進垃圾車，幸好死神及時撿回來。

感謝死神，我們現在才能夠讀到《偷書賊》！

除了戰爭的恐怖情境，猶太人的悲慘遭遇，也是此書敘事的議題之一。作者生動地敘事描繪，在納粹主義席捲之下，仍然有人不懼安危，勇敢伸出援手保護猶太人，令人感動落淚。其用心當是再次喚醒世人，人人是自由平等的，人類關係的本質不容毀壞。在此，吾人也納悶納粹主義者為何如此仇恨猶太人，必欲去之為快？為什麼讓猶太人成為「卑劣、貪汙、背叛、剝削、自私自利」的象徵？[3]

這是一個很好看，有深度寓意的故事。逐字逐頁讀下去，隨著情節的跌宕起伏，主要角色激起的愛恨勇懼，讓人為之揪心忘懷。忘了它厚達478頁。它值得我們慢慢讀，情隨事遷而自得其歡，也感同其悲。

我讀我見

記憶裡的折磨。

一、「在同樣的一個時刻，同時出現了偉大的人性尊貴與殘酷的人類暴力。」作者馬格斯認為人性的本質是善惡兼有的，同處納粹德國之內，有人對猶太人殘暴不仁，有人卻是同情憐憫。在《呼喚奇蹟的光》一書中，德國小兵韋納對待佔領區法國人瑪莉蘿兒一家，存有惻隱與羞惡之心，「他的靈魂卻散發出基本的純良，閃爍著人性的光芒。[4]」這二位作者皆闡揚人性的光明善良，強調止暴禁鬥。此種人生經驗的省察，在故事中處處浮現，讀之獲得益處，告訴我們要做個好人。

二、靠著作者的智慧細緻與生花妙筆，書裡文字的力量就會顯得強大無比，它可以撫慰創傷、鼓舞士氣、找到出口，有時候會突然帶來深獲吾心般的高興歡喜與驚奇。「沒有文字人會變得多麼軟弱無力。」這在在說明了書本就是人類的好朋友，我們需要閱讀才能活下去，閱讀就一如呼吸那麼自然和必然。因此，我們不妨多多拜訪圖書館，因為它是知識的寶庫、心靈的醫院。

【延伸好讀】安東尼・杜爾（Anthony Doerr），《呼喚奇蹟的光》（*All the Light We Cannot See*），施清真譯，時報文化出版，508面；21公分（2017.06）。

注釋

1.引自蘇軾〈石蒼舒醉墨堂〉。作於宋仁宗熙寧二年（1069），蘇軾（1036-1101）時年34歲，當時他受挫於政敵王安石，藉此詩發牢騷。因此，「人生識字憂患始」一句殆可視為牢騷語也。

2.希特勒（Adolf Hitler, 1889-1945）1925年出版的一部自傳，融合了其政治意識形態，宣揚德奧合併及反猶太主義，在當時的德國引起了巨大反響，並成為日後德國納粹黨的思想綱領。這本書有「世界上最危險的書」之稱。詳見《維基百科》《我的奮鬥》。

3.引自安東・德・聖艾修伯里1940年10月7日寫給奈莉・德・弗桂的信。見尚皮耶・圭諾（Jean-Pierre Gueno），《小王子的記憶寶盒》，賈翊君譯，麥田出版（2011.07）。

4.安東尼・杜爾（Anthony Doerr），《呼喚奇蹟的光》（*All the Light We Cannot See*），施清真譯　，時報文化出版（2017.06）。此書獲得2015年普立茲小說獎，書評甚佳的一本反戰小說。以第二次世界大戰德國占領法國為背景，描述德國男孩韋納與法國地下反抗軍盲女瑪莉蘿兒一段曲折離奇的相遇。韋納本於良知，違背軍令，救了瑪莉蘿兒三次。此書的編排另闢蹊徑，例如章節文字配置都很短，讀來至為輕鬆，而事件發生時間的安排則是前後跳躍，加深了閱讀趣味。在《維基百科》，書名譯為《我們看不到的所有光明》。

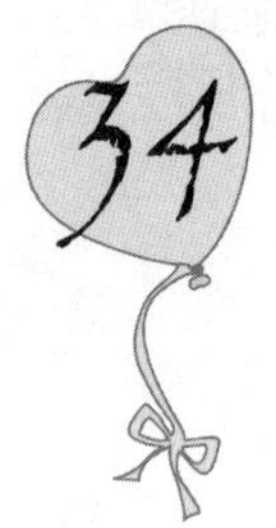

34 瓊樓玉宇，高處不勝寒

——狼廳

書名：狼廳（*Wolf Hall*） 531 面；22 公分

著者：希拉蕊・曼特爾（Hilary Mantel）

譯者：廖月娟

天下遠見出版（2010.06）

有時候跌一跤，說不定對我們有好處。只要不跌碎就好。

～柯慈《屈辱》

讀著這鴻篇巨帙的《狼廳》，就想起得過奧斯卡金像獎六項大獎的傳記電影〈良相佐國〉（*A Man for All Seasons*, 1966），演的就是湯瑪斯・摩爾（Thomas More,1478-1535）的故事，他的傳世名作《烏托邦》，很多人讀過，但有人說：「畢竟烏托邦不是人住的地方」。一個值得緬懷的人物，也是一個悲劇英雄。不過，《狼廳》這部歷史小說的主角並不是湯瑪斯・摩爾，而是湯瑪斯・克倫威爾（Thomas Cromwell，約1485-1540）。在1950年代以前，克倫威爾一向是被輕忽無視的，直到1953年史學家伊頓（Geoffrey Elton）《都鐸革命》一書中，肯定他是都鐸王朝在政府制度革命上的中心人物[1]。至此，克倫威爾總算是鹹魚翻生了。

毫無疑問，希拉蕊・曼特爾應該也是想藉著《狼廳》的書寫，再次為克倫威爾掙得其應有的歷史注目和地位。這部小說獲得2009年布克獎。令人心生敬佩的是，3年後，2012年她又以《狼廳二部曲：血季》再次獲得布克獎殊榮。

《狼廳》故事時跨1500年到1535年，從少年克倫威爾，歷經投身沃爾西（Thomas Wolsey，約1471-1530）帳下，以至取得亨利八世（1491-1547）的信任，「你就放手去做。我會支持你的」。迄「王權至上」法案通過、拒絕宣誓支持且反對國王離婚的湯瑪斯・摩爾在1536年步上斷頭臺，以及克倫威爾繼續漫步廟堂之上，展開他的「聰明」旅程，前去拜訪住在狼廳的珍・西摩—後來成為亨利八世的第3任王后。簡單說，這是描述克倫威爾奮鬥史的一部小說。

亨利八世是英國都鐸王朝（1485-1603）第2任國王，他於1509年繼位，在位38年，有6次婚姻，其中兩位王后（第2任安妮・博林與第5五任凱薩琳・霍華德）還被他送到斷頭臺。他身邊的3位重臣（沃爾西、摩爾、克倫威爾），也各有際遇、沒得善終[2]。《狼廳》描寫亨利八世為了要生下男性繼承人，休妻再婚而槓上羅馬教廷，「我是國王，是英格蘭的主人」、「為什麼君主的權力竟是來自教宗？」於是積極進行影響深遠的英國宗教改革，讓自己成為英格蘭最高宗教領袖。因亨利八世的再婚問題而捲起的千堆雪，令前後3位輔佐大臣疲於奔命，況且「伴君如伴虎」，那種動輒得咎、一失足成千古恨的戰戰兢兢感覺，好像是在跟魔鬼打交道。可以說，這一些重臣的重責大任就是要替善變的主子解決婚姻問題。解決不了？其下場，就是以叛國罪拔官放逐、命喪斷頭臺。「昨暮同為人，今旦在鬼錄。」差可比擬耶。

亨利八世的婚姻為什麼會牽連到羅馬教廷？此乃，第1任王后－西班牙公主凱瑟琳，原係亡兄之妻，換言之，亨利八世娶了大他6歲的嫂子，這是觸犯上帝，違反基督教義的事。但因已得到教宗的特許，是合法的。惟20年來，凱瑟琳一直生不出兒子，亨利八世又跟女侍安妮・博林眉來眼去打得火熱，因此向教廷提出與凱瑟琳的婚姻無效的主張，但教宗克勉七世遲遲不批准離婚。亨利八世絕不容許別人反對他離婚，整個基督王國也已被國王與安妮的婚姻搞得天翻地覆。

沃爾西因說服不了羅馬教廷，無法為國王帶回一紙婚姻無效證明，且與安妮素有仇隙，除了被抄家革職放逐北方外，還被冠以叛國罪逮捕，但未及審判即病（嚇？）死；「頑固」的摩爾自始自終反對國王的離婚，也不認可國王是教會之首，他像似替自己扣下扳機的悲劇英雄？只有克倫威爾憑其超人的智慧和手腕，成功地完成主子交付的使命，贏得亨利八世與安妮的歡心信任。

克倫威爾深諳為人臣子之道：「做一個朝臣就是要聽國王的要求，幫他得到他想要的東西。」換言之，也是一個能替主子擋子彈的人。克倫威爾最大功勞，就是幫助安排解除亨利八世和凱瑟琳王后的婚約，讓亨利八世娶得安妮，繼續為生個男性繼承人打拼。他也大力推動國會一系列立法，例如王權至上法案、王位繼承法案、叛國罪法案等等。亨利八世是英格蘭最高的宗教領袖從此確立，英國王室的權力也因此達到巔峰。

1533年，亨利八世正式與天主教決裂，脫離羅馬教廷，亨利八世可以自行其是了。羅馬教廷，再也不是橫梗於離婚路上的大石頭了。為了安妮，亨利八世不惜把樞機主教殺了、分化國家，甚至分化教會。亨利對後世的最大影響在於英國宗教改革—成立英國國教、解散修道院，其財產收歸國有等等，而在位期間合併了威爾斯，也該記上一筆。如若再往後檢視，他的兩個女兒－第4任君主，有「血腥瑪麗」稱號的瑪麗一世（凱瑟琳之女）與第5任君主伊麗莎白一世（安妮之女，世稱「童貞女王」、「榮光女王」）—也各著有事蹟[3]。尤以伊麗莎白一世時期，國富民強，擊敗了西班牙的無敵艦隊，為人津津樂道，而且當時文風鼎盛，大師級人物輩出，如莎士比亞、史賓賽（Edmund Spencer）、培根（Francis Bacon）等等。或有謂，這是亨利八世奠定了基礎所致。

鐵匠之子克倫威爾，聖經背得滾瓜爛熟，是個謎樣的人物。當過兵幫法蘭西打仗、替義大利人管過帳。是商人，也是律師，更是商業紛爭仲裁高手，也像一個殺人兇手。不過，對待失勢的沃爾西忠心耿耿、不離不棄。他知道，溫言暖語能使國王平心靜氣。國王曾經問他：你這個人是什麼做的？一個不可忽視的人。

讀完《狼廳》後，我們會為克倫威爾平步青雲而羨慕欽佩，為湯瑪斯·摩爾從容就死而噓唏不已。或許，此刻心內另有個疑問冒出來。克倫威爾死於1540年，得年只不過五十五歲左右，他又是怎麼個死法啊？

在此想引述一段文字，什麼是歷史小說？「它是小說體裁的一種，遵照歷史事件和人物進行鋪展描述的書寫體，可適當虛構，故事主線順應歷史發展方向，一定程度反映了歷史時期的社會面貌。能給予讀者一定的教育和啟迪。[4]」由此定義看來，創作歷史小說似乎是有相當難度的，其人其事既要符合歷史事實，又要憑空編造虛構，若非有相當史學知識，以及一枝生花妙筆，焉能寫出精采有趣且信而有徵的動人故事來？

厚重的《狼廳》是一部教人讀來津津有味的歷史小說，從中讀者可以獲得借鑒與啟發。因為讀來津津有味，教人陶醉其中，所以也不會覺得篇幅浩繁了。

我讀我見

注意別人的表情。

一、湯瑪斯・摩爾，可以說是小說中的悲劇英雄之一。當讀到摩爾的悽慘下場時，不禁為之震撼，教人嗟嘆，也令人覺得害怕。約翰・薩德蘭《文學的40堂公開課：從神話到當代暢銷書，文學如何影響我們、帶領我們理解這個世界》就引述亞里斯多德的話：「悲劇尤其能讓人感受到『可憐和恐懼』」、「能發生在悲劇英雄身上，那也可能發生在任何人身上，包括我們自己。[5]」我們何以為人？是的，讀史或讀小說不就是借鑑其中人物的行止，為自己尋找到安身立命、持盈保泰之道。

二、「已經預見，有一天他必須全副武裝。不管在國內或是國外，都有人想給他一刀。」嶄露頭角的克倫威爾這麼警告自己。所謂『譽之所至，謗亦隨之』就是在提醒我們，世途險惡敵人環伺，當處於功成名就的巔峰時，更要自我節制。唐・李白〈古風〉詩之十八：「功成身不退，自古多愆尤。」不要誤判情勢，更不要讓得意的狂態，給自己招來嫉妒，種下不幸。「何以息謗，曰無辯。何以止怨，曰無爭。」高處不勝寒，或許急流勇退，見好即收，有時是保命求生之道。

【延伸好讀】約翰・薩德蘭（John Sutherland），《文學的40堂公開課：從神話到當代暢銷書，文學如何影響我們、帶領我們理解這個世界》，章晉唯譯，漫遊者文化出版，366面；21公分（2018.01）。

注釋

1.參見《維基百科》〈湯瑪斯・克倫威爾〉、〈湯瑪斯・摩爾〉。

2.詳見《百度百科》〈亨利八世〉與《維基百科》〈亨利八世〉、〈都鐸王朝〉。

3.詳見《維基百科》〈瑪麗一世〉、〈伊麗莎白一世〉。

4.見《維基百科》〈歷史小說〉。

5.約翰・薩德蘭（John Sutherland），《文學的40堂公開課：從神話到當代暢銷書，文學如何影響我們、帶領我們理解這個世界》，章晉唯譯，漫遊者文化出版（2018.01）。此書原文：*A little History of Literature*，指的是文學的小歷史，坊間另有譯為《耶魯文學小歷史》的版本。再從這本書的副標題來看，我們已可約略了知此書的內容。它簡要有趣又生動地介紹評論一些熟悉的文學大家的生平、著作和逸事，亦也以相當篇幅強調文學的重要性與未來。很值得一讀的文學入門指南。身為英國倫敦大學榮譽教授的約翰・薩德蘭著作豐富，其中如《小說家：小說的294段生命史》（按，尚未有中文譯本）亦獲得眾多迴響。

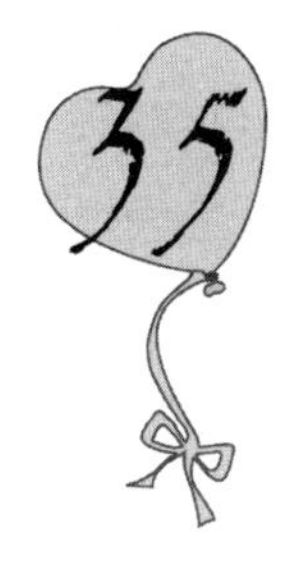

是英雄或懦夫，在你一念間

——紅色英勇勳章

書名：紅色英勇勳章（*The Red Badge of Courage*） 247 面；21 公分

著者：史蒂芬・克萊恩（Stephen Crane）

譯者：陳榮彬

群星文化出版（2016.05）

只有願望真正發自內心，成為我的真心時，我才會有足夠強烈的意願去實現它。

～赫曼・赫塞《德米安 徬徨少年時》

此一戰爭小說出版於1895年，深受矚目，獲得好評，流傳甚廣，迄今不湮，且多次改編搬上銀幕。被視為美國的主流文學著作之一，譽為傑出的第一部現代戰爭作品。作者史蒂芬・克萊恩（Stephen Crane, 1871-1900）當時年僅24歲，可謂英雄出少年。他也是詩人。令人惋惜的是，英才早凋，29歲那一年辭世。

這部小說的靈感與藍本，根據多位學者的看法，乃是來自美國南北戰爭（1861-1865）的錢斯勒斯維爾戰役。作者本人生於戰後，自然也就無有參戰的經歷和體驗。小說雖屬虛構，但其以戰爭場景寫實逼真而著稱，反倒是會令人相信他一定有過參戰的經驗呢[1]。

作者處於十九世紀末葉，卻能夠率先運用二十世紀新興的小說手法－現代主義的意識流及象徵作用[2]－生動活潑刻畫年輕人亨利・佛萊明至情至性的心理意識的糾結和掙扎過程，而這一些細膩婉約呈現在亨利・佛萊明身上的翻轉變化，正是此一小說精彩神髓之所在。此外，作者也善用託寓、象徵和諷刺的筆法，讓小說更具有特色，例如少用姓氏而逕稱年輕人、高個子、大嗓門、衣衫襤褸的士兵等，點明了人物特性；又如灰衣士兵與藍衣士兵，代表了南方（邦聯）軍與北方（聯邦）軍；再如，亨利・佛萊明真希望自己也受了傷，因為傷口就像是一枚「紅色英勇勳章」。

亨利他只是藍色大軍的一名小兵，投軍之前志氣昂揚熱血沸騰，認為自己可以在戰場上幹下一番轟轟烈烈的事功，因此很期待「希臘史詩式的」戰役的出現。但是，他又認為人類已經因教育宗教等因素，戒除了好勇鬥狠的本性，所以根本不會有戰爭發生。如今進了軍隊，他又開始思考是不是應該開溜做個逃兵？因為兵交馬踏、兵敗將亡、血流成渠的景象令人恐懼，他看到「當松鼠意識到危險也是拔腿就逃，毫不遲疑。」以此為自己尋求安慰找到藉口，然而，逃兵是膽小的無賴，無恥的懦夫，將招致無情的嘲諷訕笑唾棄，更使得自己的英雄夢破碎。諸如此類對立矛盾的思緒與自我懷疑的心理，讓他時時陷入天人交戰，令他煩躁不安、愁腸百結。他覺得自己就像是陌生人，真後悔早先沒有聽從母親的話留在家裡耕作，因為家裡安穩多了。

令人詫異，菜鳥亨利竟然真的選擇逃離軍隊。路上是一副兵荒馬亂的景象，他傷心目睹同伴傷重而亡，但自己也無情遺棄了一個陌生的垂死士兵。同時，也看到戰士威風抖擻奮力趕赴沙場。此刻，一個不同的他浮現了，投入戰鬥的欲望油然而生，期待「於危急中發動可怕的攻擊」，想像自己悲壯捐軀，覺得自己崇高無比。但是，種種疑慮如鬼魂般糾纏，在內心混戰，他覺得無法把自己的臨陣脫逃之罪深藏心底，更怕同袍質疑揭發。

此時，作者在此做了一個巧妙且反諷的安排－－一枚紅色英勇勳章（書名由來），讓惴惴不安的亨利靠著這枚「勳章」回到他的部隊。終於，他展現狂熱堅強的勇氣，抱著橫屍戰場的決心，帶著軍旗往前衝。不再是儒夫了，他是自己心目中的英雄，也贏得大家的敬意稱讚。事實上，這一枚「紅色英勇勳章」無疑是亨利・佛萊明一個見不得人的恥辱，也是一個羞於說出口的秘密。真正發生在亨利身上的這個傷，卻不是來自浴血奮戰，而是來自被逃兵的槍砸到頭部，不知情的人都說它像似子彈的擦傷。只是，亨利將錯就錯，讓它成為英勇的標記。

最後，在多次戰役立下汗馬功勞的亨利這時腦中縈繞著的，是「他看得出自己是一條好漢。」、「他是在一個沒有人看見的地方犯了錯，所以他還是好漢。」、「花朵終有凋謝的一天，就像心中瘡疤最後也會痊癒。」、「最多不過一死而已。」、「河面上依然密布著陰沉的雨雲，但帶著金色光芒的太陽已經探出頭來了。」看來，他已然接受自己，改變對自己的看法，有了面對現實的勇氣，拋棄心頭的罪惡感陰霾。

讀完這部小說，深刻在我們心田的，除了指出外部戰場的凶險可怕之外，就是主人翁亨利．佛萊明內在世界的矛盾與選擇。一個害怕被訕笑的逃兵，歷經怎麼樣的自我懷疑、痛苦煎熬與尋找答案、殘酷磨難，終於實現早初的夢想—自己是一條好漢、自己一定是個英雄。看來，亨利真正是想要參與一場正義之戰，是時他一定有所行動，只要選擇的行動正確，英勇的他就會站在歷史的浪頭上了。

作者寫出真實的人性，如貪生怕死、自欺欺人、貴己賤他、見風轉舵、好善疾惡等，藉著細密帶感情文字將這些人性幻化成一幕幕栩栩如生的畫面，有的如人飲水引發閱者的共鳴，有的設身處地激起讀者的同感。它引領閱讀者參與融化到文本中的情節，喜怒哀樂好惡隨之波動起伏。況且，書中有不少金石之言，至值玩味。此書享有盛譽，青史留名，其來有自耶。

我讀我見

寂靜的吵雜。

一、人類比起其他物種的不同，在於具有理性與自我意識，會說話，寫字，能製作工具。然而，仍有人失去理性想要一場戰爭，這些戰爭的製造者或發動者忘了戰爭會造成哀鴻遍野生靈滅絕，大地破碎世界崩壞，回到「混沌未分天地亂，茫茫渺渺無人見」[3] 的宇宙初始狀態。唐・德里羅在《最終點》書中說道：「我們是一個『群』。……。但『群』這種東西帶有自我毀滅的基因。[4]」戰爭，難道就是我們想要的嗎？戰爭，難道就是不能避免嗎？

二、歷經煎熬磨難與不斷學習，方能從幼稚走到成熟，小說中的年輕人亨利・佛萊明的覺醒悔悟，終於讓他成為一條好漢，早先的懵懂懦弱就深藏心底吧。人總是會犯錯的，不要自憐也不要自戀，它們只會讓我們活得很狹隘又痛苦。

【延伸好讀】唐・德里羅（Don DeLillo），《最終點》，梁永安譯，寶瓶文化出版，189面；21公分（2015.12）。

注釋

1.參見《維基百科》〈紅色英勇動章〉與《百度百科》〈紅色英勇動章〉，皆對此書的背景、風格、題裁、主題、反響、成就與影響等，有詳細的敘述。海明威認為，此一部小說和詩篇一樣偉大。又如，柯奈留斯・赫希堡（Cornelius Hirschberg）在《如何給自己一份無價的禮物》一書中〈附錄 B〉，亦將《紅色英勇動章》列為優秀小說之一。

2.文學流派思潮的遞嬗，從十九世紀的自然主義演化為二十世紀的現代主義。前者注重外在事實客觀描寫，如福祿貝爾、左拉、莫泊桑等作品屬之；後者偏好記錄一個人心理意識的發展經驗，最具代表性的小說是，詹姆士・喬艾斯1922年的《尤里西斯》（*Ulysses*）。參見《教育部重編國語辭典修訂本》〈自然主義〉〈現代主義〉〈意識流〉〈尤里西斯〉。

3.引自吳承恩《西遊記》卷頭語。

4.唐・德里羅（Don DeLillo），《最終點》，梁永安譯，寶瓶文化出版（2015.12）。故事情節簡單，風格別具，筆致細膩深刻，涵有哲學思辨意味的一部小說。書中，埃爾斯特是一位有著矛盾情結的人物，「既為自己的戰爭辯護又譴責那些發動戰爭的人」。

肯等待就有機會

——梭哈人生

書名：梭哈人生（*A Hologram for the King*）　303 面；21 公分

著者：戴夫・艾格斯（Dave Eggers）

譯者：江宗翰

高寶國際出版（2016.04）

巴克具有一種偉大的天性—想像力。牠用本能去應戰，同時也能夠用頭腦去應戰。

～傑克・倫敦《野性的呼喚》

美國現任總統川普（Donald John Trump, 1946-）想要重振國力，恢復以往的榮光，一再大唱美國優先、貿易保護主義、外移海外的美國製造業遷回國內和讓美國再次偉大（Make America Great Again）的高調，如是更將反全球化與反自由貿易的浪潮推上頂峰，讓全球經濟變得動盪起伏。很巧，稍早在2012年出版的《梭哈人生》就是一本具體而微描述在全球化風潮席捲之下，外來人口大量湧入美國、某些產業外移造成美國的經濟由繁榮走入衰落的小說。川普的主張，似乎呼應感通《梭哈人生》的旨意。

以意識流手法寫就的《梭哈人生》，有滿多是主人翁艾倫滯留沙烏地阿拉伯期間的片片段段反思與回憶。它被選入《紐約時報》與亞馬遜網站2012年度十大好書，並改編拍成同名電影於2016年上映。中譯的「梭哈」（或稱沙蟹）（show hand）指的是一種樸克牌戲，牌型最大的玩家贏得全部賭注，此跟小說的核心意旨至為切合。

小說中的艾倫已54歲了，像煞是現代版的《推銷員之死》[1]主角威利‧羅曼（Willy Loman）。傳統老式的推銷員，過去賣自行車，工作順利，賺進大把鈔票。後來，公司倒閉，他也丟了工作，欠了一屁股債，亦有一段失敗的婚姻。為了填補財務上的窟窿，也為了證明自己寶刀未老，亟思東山再起。他找到推銷立體全像投影通訊系統與IT（information technology，資訊科技）系統服務的工作，他相信自己做得到，合約唾手可得，只是需要等待而已。一旦合約談妥，拿到佣金就可解除破產危機，也可還清債務、繳付女兒的學費，房子當然不必賣掉，還可開間小工廠。

艾倫因此來到沙烏地阿拉伯爭取一份大生意，因為阿布都拉國王行蹤飄忽，神龍見首不見尾，有可能在任何日期、任何時間蒞臨，他只好日復一日癡癡地耐心等待國王的出現。最後，不幸卻是花落他家，艾倫努力想創造傳奇卻功虧一簣，這筆生意被中國公司不聲不響地搶走了。評者認為《梭哈人生》，巧妙地揉合《推銷員之死》與《等待果陀》[2]夢想幻滅、徒勞無獲的主題設定與悲劇風格。

作者塑造憤世嫉俗的尤瑟夫成為艾倫的司機，甚至是一位高明的嚮導。因為他的帶領，讓我們進入一個陌生又新奇的沙烏地阿拉伯世界，一窺其內蘊究竟。此外，書中也出現了個性鮮明的三位女性：前妻、來自丹麥的漢娜與為艾倫腫瘤開刀的當地女醫師哈坎姆，我們可以從她們身上對照比較而讀出作者所要表達的象徵意涵。

這本小說的主題和重心，在於強調全球化的結果，是外來人口大量湧入成熟經濟體，搶走本地人的工作機會。再者，成熟經濟體的產業會外移到低製造成本與沒有工會的亞洲或非洲國家，導致工作機會也變少了。書中引用，通用電器執行長傑克．威爾許的說法頗為傳神：「製造工廠最好放在一艘四處巡航的貨船上，繞著地球以尋找最低廉的工作環境。」若此，就可以了解美國經濟何以成長遲緩，由盛而衰了。審視端詳艾倫的遭遇，不啻是一個美國經濟興衰過程的縮影！

出人意表的小說末尾。一般而言，艾倫應該是失望而歸，不！他還要留在沙烏地阿拉伯，絕不能雙手空空而回。「艾倫必須留下，否則如果國王再度蒞臨，又有誰會在這呢？」淪落至此，艾倫的心境是莫可奈何的淒涼嗎？是否等待不能畫下休止符，只要有耐心終會出現奇蹟？過去艾倫曾是全球化的受益者，現在卻是受害者。艾倫仍然對全球化懷著美好的憧憬嗎？

戴夫．艾格斯（1970-），成長於芝加哥郊區，美國新生代重要作家、編輯、出版人，獲有不少獎項。2000年出版回憶錄性質的處女作《怪才的荒誕與憂傷》（*A Heartbreaking Work of Staggering*

Genius）即深受歡迎，獲普立茲非小說獎，2001年中譯本上市，戴夫・艾格斯之名就廣為國人所熟悉了。他的諸多作品中，譯成中文的尚有《揭密風暴》（*The Circle*）（2013）和本文介紹的《梭哈人生》（*A Hologram for the King*）（2016）[3]。

我讀我見

想像生活。

一、全球化（地球村）猶如雙面利刃，是一個具有高度爭議性的概念。然而若走回頭路，掀起貿易戰爭和倡行孤立主義，想必不會帶來更好的生活。反全球化，其結果會導致經濟衰退、企業破產。何況全球化為時代潮流所趨，例如納揚・昌達（Nayan Chanda）追根溯源，他認為這是數千年來商人、傳教士、探險家與戰士，披荊斬棘辛苦奮鬥才形塑出今天的世界，不過如何遏阻西方已開發國家民族主義與保護主義風潮的興起，將是未來全球性的挑戰[4]。

二、艾倫在國王城雖然遭到冷落，面對困阨而惶恐焦慮不安，但依然堅持等到最後一刻，這是他自認應所應為，值得我們佩服。只是，世事如棋局局新，他沒有料想到最後會敗在中國公司手中。回到現實，世界第二大經濟體的中國的國力日後會比美國強嗎？經濟和商業研究中心（CEBR）預測，到了 2030 年中國將超越美國，成為世界第一大經濟體[5]。真的嗎？拭目以待。

【延伸好讀】納揚・昌達（Nayan Chanda），《全球化的故事：商人、傳教士、探險家與戰士如何形塑今日世界》，劉波譯，八旗文化出版，461面；22公分（2016.06）。

注釋

1.阿瑟・米勒（Arthur Miller），《推銷員之死》，英若誠譯，書林出版（2006.01）。是一部相當具有影響力的二十世紀戲劇，贏得了1949年的普立茲獎，劇中主角威利・羅曼（Willy Loman）也成為家喻戶曉的人物。

2.山繆・貝克特（Samuel Beckett），《等待果陀・終局》，廖玉如譯注，聯經出版事業公司出版（2010.03）。《等待果陀》於千禧年被英國人票選為二十世紀最具代表性的劇作。山繆・貝克特（1906-1989）愛爾蘭小說家、劇作家、詩人、散文家，1969年獲諾貝爾文學獎。

3.戴夫・艾格斯，《怪才的荒誕與憂傷》，張琇雲譯，天下文化出版，488面；21公分（2001.08）。戴夫・艾格斯，《揭密風暴》，龐元媛譯，遠見天下文化出版，461面；21公分（2014.06）。

4.納揚・昌達（Nayan Chanda），《全球化的故事：商人、傳教士、探險家與戰士如何形塑今日世界》，劉波譯，八旗文化出版（2016.06）。值得支持或反對全球化者，用心一讀的好書。

5.見〈2030年世界經濟體排名 美國不再是老大〉自由時報，2016.12.26。

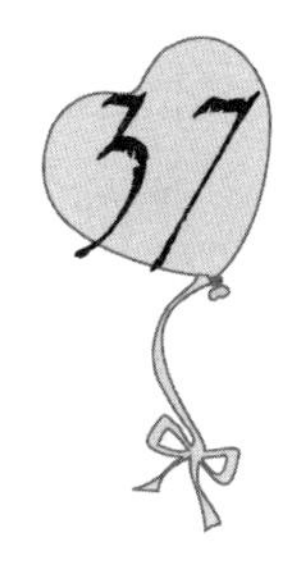

東尼潘帝

——時間的女兒

書名：時間的女兒（*The Daughter of Time*）　255 面；21 公分
著者：約瑟芬・鐵伊（Josephine Tey）
譯者：丁世佳
漫遊者文化出版（2014.06）

閱讀偉大作家的作品使我認清自己沒有一刻不是野蠻人、無知的人、最不完美的不完美者，人家不相信我會為此沾沾自喜。

～夏爾・丹齊格
《為什麼讀書：偉大讀者的必然與非必然》

凡是讀過莎士比亞（1564-1616）歷史劇《理查三世》的人，一定會對英格蘭國王理查三世（Richard III, 1452-1485）留下了極深的印象。傳聞中，理查三世手臂萎縮、跛腳與駝背[1]，因此，莎翁就把他寫成一個廢體殘形、跛跛躓躓，但又陰險惡毒的壞蛋，只為了登上王座，戮殺仇敵無數，其中就以謀殺囚禁在倫敦塔的先王遺孤（二個姪兒）為最。在歷史或教科書上，理查三世從此背負「篡位者」與「殺侄」的千古罵名。四百年來，理查三世就成了邪惡的代名詞。

不過，素有「英國推理三女傑」雅譽之一的約瑟芬・鐵伊，一心想為飽受爭議，遭人毀謗的理查三世雪冤，於1951年出版了歷史推理小說《時間的女兒》，迄今依然是廣受歡迎的經典之作，成了平反浪潮中的一朵奇葩。書名來自古諺：「真相乃時間之女，而非產自權威。」（Truth is the daughter of time,not of authority.）但是，值得我們深思的是，時間或歷史真的會還給一個人公道嗎？「當真相在歷史中隱匿，時間最終會站在哪一邊？」顯而易見的，如若沒有世世代代後來者鍥而不捨的努力考證挖掘，真相並不會自動曝露在陽光下的。

躺在病榻上的葛蘭特警探，因為看著理查三世的畫像，勾起他的興趣和注意－湯瑪斯・摩爾、莎士比亞以及歷史課本都說理查謀害兩個小姪子，但沒人知道他怎麼做到的。後來，發現的兩副屍骨說是兩位小王子的遺骸，卻從來也沒有任何明確的證據可資證明。雖然理查三世僅在位兩年，卻是英國兩千年歷史上數一數二的著名君王。他覺得相當詭異，於是他拼命託人找許許多多的書來看，並反覆推敲。接著，年輕的歷史研究者布蘭特因緣際會來到葛蘭特跟前，兩人就此攜手踏上探索理查三世的真面目之途，逐步解開他們心中的謎團－理查三世究竟是一個怎麼樣的人？弒姪篡位嗎？兩個小王子到底發生了什麼事？

1485年約克家族與蘭開斯特家族的博斯沃思戰役，約克王朝的理查三世英勇戰死，赤裸的屍體任由馬匹拖著遊街示眾。理查三世就此成為金雀花王朝的最後一任國王與最後一個死在戰鬥中的英格蘭國王[2]。有人認為理查三世不應該受到這樣侮蔑的對待，心中不平地寫下：「今日我們的好國王理查慘遭謀害，本市（指約克市）萬分沉重。」玫瑰戰爭結束了，亨利·都鐸繼位之後，都鐸王朝又是做了哪些好事？答案就在葛蘭特看到一本書的記載：「都鐸王朝既定的一貫政策是排除所有的王位競爭者，特別是在亨利七世時期還活著的約克家繼承人。此舉非常成功，亨利八世鏟除了最後一個人。」由是，整個約克家族被消滅了。

讀著讀著……，懷著好奇與沉重的心，我們終於得到作者鐵伊給的答案，一個打敗湯瑪斯·摩爾、莎士比亞以及歷史課本的答案。我們佩服作者思慮縝密，探賾索隱，旁徵博引，鉤深致遠，藉由一隻生花妙筆把一樁歷史公案訴說得津津有味；將本該屬於嚴謹乏味的學術論文，演化成引人入勝的歷史推理小說，其創新性真教人讚嘆稱好。

作者約瑟芬·鐵伊本名伊莉莎白·麥金塔許（Elizabeth Mackintosh）（1896-1952），英國籍。1929年，發表第一部小說《排隊的人》。《時間的女兒》（1951）是鐵伊最負盛名的作品，後來成為歷史推理小說的經典。它在美國犯罪作家協會（MWA）票選的史上百大推理小說中名列第4，英國犯罪作家協會（CWA）稱之為世界上最佳推理小說。鐵伊一生只寫了八部推理小說，每本皆水準齊一，被視為推理史上極少數一生當中沒有任何失敗作品的大師級作家[3]。鐵伊終生未婚。

我讀我見

一切都是謎。

一、歷史是由具有權威的人寫的，歷史也是可以塑造的，就如聖人湯瑪斯・摩爾的《理查三世傳》，影響後世久遠，莎士比亞《理查三世》[4]也包括在內。作者鐵伊藉著葛蘭特之口很明白表示，湯瑪斯・摩爾之言是不可信的。於是當我們讀書（史）時，就需抱著質疑的態度，去辨識何者虛偽？何者真實？否則，盡信書則不如無書了。

二、一己的偏見、立場、盲點和無知，會形塑出「東妮潘帝」[5]，讓人不願說出事實真相，讓人寫不出擲地有聲的文章。「東妮潘帝」無所不在，我們不僅要對抗它，更要要求自己不要掉入它的陷阱。

【延伸好讀】莎士比亞，《理查三世》，朱生豪（方重）譯，國家出版社出版，143面；21公分（1981.09）。

注釋

1.聖人湯瑪斯・摩爾（Thomas More, 1478-1535）受封爵士，所著的《理查三世傳》也影響了莎士比亞《理查三世》。然而，不少英國史學家認為身處亨利・都鐸王朝的湯瑪斯·摩爾的記載是諂媚失實的，以致長期以來翻案的文章著作時有所見。很久以前，有一部電影「良相佐國」，即是搬演英國史上一代良相湯瑪斯・摩爾的事跡。《烏托邦》為湯瑪斯・摩爾最有名的傳世之作。

2.《維基百科》〈理查三世〉中，有諸多有趣的子題值得我們參閱，包括關於登上王位的經過、殺害先王遺孤的傳聞的討論、爭議與名聲、遺體與考古發現等。至於博斯沃思戰役，歷史學家認為此一戰役象徵著金雀花王朝的終結，為英國歷史關鍵性的轉折時刻，此後都鐸王朝上台。

3.詳見《維基百科》〈約瑟芬・鐵伊〉、〈時間的女兒〉。「英國推理三女傑」，另外兩位：阿嘉莎・克莉絲蒂（Agatha Christie, 1890-1976）與桃樂絲・榭爾絲（Dorothy L. Sayers, 1893-1957），她們都是產量豐碩的作家，鐵伊反是。

4.莎士比亞，《理查三世》，朱生豪（方重）譯，國家出版社出版（1981.09）。家喻戶曉的名言：「一匹馬！一匹馬！我的王位換一匹馬！」（A horse! A horse! My kingdom for a horse!）就是出自此劇，時當理查三世敗戰受創而發出的狂嘯哀鳴。此外，如「呵，良心是個懦夫，你驚擾得我好苦！」（O coward conscience, how dost thou afflict me!）亦為傳誦不已的名言。

5.東妮潘帝（Tonypandy，或譯湯尼潘帝）是在小說當中出現的名詞，原是英國南威爾斯的一處地名。在此，泛指任何出於政治或其他因素而被過度誇大或炒作的歷史事件，特別是指那些成為傳奇而知道真相的人全都袖手旁觀的事件。引自《維基百科》〈湯尼潘帝〉。

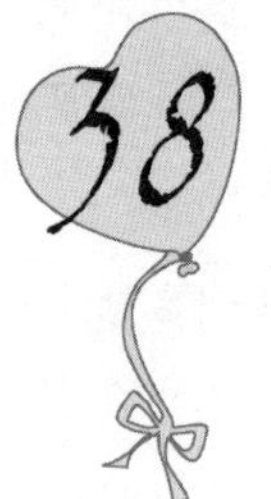

38 做不一樣的自己，做想要成為的人

──寫給未來的日記

書名：寫給未來的日記（*Golden*） 319 面；22 公分
著者：潔西・柯比（Jessi Kirby）
譯者：黃意然
天下雜誌出版（2015.05）

> 真正的追尋需要你有所犧牲，並為生命帶來不確定性。
>
> ～古利博《追尋吧！過你夢想的人生》

在萬籟俱寂的時刻，我們或許會因生命何去何從而進行哲學式的思考，是繼續過著安逸無事，完全可預測的生活呢？還是，去做一件你意想不到、平常不會做的事呢？當命運神奇地帶領著我們走到一個陌生的十字路口，就是面臨做抉擇的關鍵節點，你要往右？往左？直直走？抑或就此呆滯不動？

不同的選擇，不同的結果。文本以美國著名詩人佛洛斯特[1]的詩作〈未竟之路〉（*The Road Not Taken*），「一個旅人，兩條路和無可避免的選擇。」做為小說的中心思想，加上瑪麗・奧立佛（Mary Oliver）的詩句：「告訴我，你打算如何度過你不凡而珍貴的人生？」就此演出一齣教人回味良久、印象深刻的好戲。

面對理所當然的事，我們還是必須抱著懷疑的態度。乖巧聽話的17歲少女帕克，生活在單親家庭，用功好學並熟讀佛洛斯特的詩作。沒讓母親失望，終於獲得進入史丹佛醫學院預科的候選名單，飛上枝頭變鳳凰的日子就在眼前了。在校，她擔任基尼老師的助教，此刻要幫他寄出十年前學生們留下來的日記簿，裡頭有著他們各自書寫的希望、驕傲和秘密。當信封上茱莉安娜的名字赫然印入眼簾時，帕克驚愕之餘憶起，眾人欽羨的情侶茱莉安娜與尚恩於暴風雪中車禍意外，被湍急冰冷的河水沖走而失蹤的悲傷往事。良知告訴她，不能把日記簿據為己有，但內心另有個很大的聲音催促她，帶走它吧！

她一頁一頁讀著日記，掉入茱莉安娜與尚恩二人的愛恨的世界。令人驚訝的，茱莉安娜透露出深陷在三角迷情不能自拔的困境，茱莉安娜同時心繫神縈一位前臂有著刺青的男孩奧利安，日記上寫著：「我一直認為我和尚恩在一起的時候最像自己，可是今天和奧利安在一起，我最像我想要成為的人。」真愛使得茱莉安娜選擇改變，變得和原本的自己完全不同，有著大膽、誠實與自信。她要勇敢追求現在自己需要的，不要留下任何遺憾。10年來，這段三角迷情並未曝光，惟深鎖在日記裡。

帕克好奇想知道，那失蹤的二人到底發生什麼事？是生或死？奧利安現在又在哪兒？一日，帕克湊巧在一家咖啡店看到一幅名為〈熟悉的黑夜〉[2]的畫，畫中出現日記裡提到的獵戶星座[3]和刺青的符號，開始懷疑這是否茱莉安娜畫的？茱莉安娜還有可能活著嗎？內心激起「讓我找到妳，讓這一切具有意義」的瘋狂念頭，於是帕克開始一步一步進行追查真相，或是寧願不想知道的真相。

帕克找到了茱莉安娜嗎？臉上總是帶著一絲孤獨悲傷的咖啡店主喬許是否就是奧利安？如果茱莉安娜還活著，那麼睽違10年之久的這二位有情人，最後重逢歡聚了嗎？

另一方面，帕克看了茱莉安娜的日記，深受影響。自己也在「一直以來的我和我想要成為的人」之間拔河拉鋸，但她想做一件意想不到的事，想把握只有一次的機會，想脫離既有的牢籠框框。不想在母親的規劃安排下過日子，不滿母親從來就沒有給她選擇權。她想成為「我想要成為的人」，今天要做不一樣的自己，她要自己決定生命的目標。終而，出乎眾人意料之外，她毅然放棄就讀史丹佛的絕佳機會，準備飛到紐約的寫作學校跟著父親繼續研究佛洛斯特的詩作、上課讀書、學習寫作，可是這些卻都是母親認為大謬不然的事情。

文本包含兩個故事，一個是從帕克的口中，說出的茱莉安娜的淒美故事，另一個是帕克自己的成長故事，這兩個故事就靠著「做不一樣的自己」的理念巧妙地串聯起來。故事情節充滿浪漫性、悲（喜）劇性、叛逆性與懸疑性。然而作者似乎亦也隱喻暗示著，生命的正確答案總是在既定框架外，總是在平常習慣的思考方式之外。這確是一部足以發人省思、自我觀照的青少年小說。

潔西・柯比（1978-）除了有作家的身分外，還擔任一間中學的圖書館管理員。本書出版於2013年，曾入選美國好讀網（Goodreads Choice Awards）年度最佳青少年小說，有不錯的書評。她的第一本小說《月玻璃》（*Moonglass*）在2011年付梓，曾獲選為美國書商協會的新銳作家選書。

我讀我見

是不想做，不是做不到。

一、帕克的選擇，讓母親失望，讓父親驕傲。我們或者會問，帕克的選擇會是正確的嗎？就像文本說的：「如今我不知道之後將會如何。我不曉得接下來會發生甚麼事。」一如橄欖球落地會朝意外的方項彈起，我們的人生也朝意外方向邁進。手島純《16 歲的哲學課》[4]裡這麼說。我們忖度，不管帕克選擇的最終結果如何，最精采又歡愉的地方應該是，在追尋的「過程」中所帶來的無限可能性和自由吧！

二、閱讀之後，我們自然而然地會思索這本書所要傳遞的概念到底是什麼？是告訴你我要抓住時機，把握當下，跳脫陳規舊習的常態思考模式，以新的思維去面對問題、解決問題？川村透《答案總在框架外》[5]，告訴我們要跳脫陳年窠臼。

【延伸好讀】手島純，《16歲的哲學課》，黃心宜譯，蔚藍文化出版，267面；21公分（2015.05）。川村透，《答案總在框架外：打破思考局限的31個練習》，林仁惠譯，究竟出版，187面；21公分（2013.01）。

注釋

1.羅伯特・李・佛洛斯特（Robert Lee Frost, 1874-1963）美國詩人，曾四度獲得普立茲獎。他一生歷盡艱辛和痛苦，幼年喪父，中年喪妻，老年喪子（女），但不改其志勤奮筆耕，出了十多本詩集。家喻戶曉的〈未竟之路〉（*The Road Not Taken*）是1916年之作。

2.〈熟悉的黑夜〉亦為佛洛斯特詩作之一，一首哀傷的詩，發表於1928年。

3.奧利安 Orion，其意思就是獵戶星座。

4.手島純，《16歲的哲學課》，黃心宜譯，蔚藍文化出版（2015.05）。作者認為16歲是開始研讀哲學，了解人生的意義，學習獨立思考與批判和選擇的最佳時光。他簡要介紹了一些古今重量級的哲學家的生平和論述，是一本寫給年輕人讀的哲學書。

5.川村透，《答案總在框架外：打破思考局限的31個練習》，林仁惠譯，究竟出版（2013.01）。單看書名就知道，這是本告訴我們看待問題要跳脫既有的框架與窠臼，才能有效解決問題。書中舉了很多類如機智問答的有趣題目，而其答案總是讓人驚喜不已。全書有7章，31個習題分布在前六章；第7章的標題是：『改變「看事物的眼光」，就從今天開始。』這是全書的核心價值所在－您不能停在那裏不動－要改變並開始行動。

39 你錯過了什麼嗎

——獵書遊戲

書名：獵書遊戲（*Book Scavenger*）　328面；22公分
著者：珍妮佛・夏伯里斯・貝特曼（Jennifer Chambliss Bertman）
譯者：卓妙容
親子天下出版（2016.09）

> 只要我們有弱點，市場就會把握機會，利用人性弱點獲利，市場會針對我們的弱點，撒下誘餌「釣愚」，等我們上鉤。
>
> ～喬治・艾克羅夫&羅伯・席勒
> 《釣愚－操縱與欺騙的經濟學》

藏匿在書裡的秘密訊息或線索，會引導著真心喜歡閱讀的人找到寶藏。《獵書遊戲》就是這麼一本情節曲折懸疑，富冒險性又別出機杼的推理小說，它帶領著我們展開一趟破密解謎、尋找寶藏的冒險旅程。長亭短亭，滿是濃濃書香味。由於故事中的福爾摩斯是年僅12歲多的艾蜜莉和華裔少年詹姆斯，於是有人視為青少年版的《達文西密碼》[1]。

讀著《獵書遊戲》，腦海裡不時翻騰著電影〈模仿遊戲〉的劇情，人工智慧之父圖靈（A. M. Turing, 1912-1954）協助盟軍破解了德國的密碼系統 Enigma，有功於二次大戰勝利的事蹟[2]。密碼，不僅用在軍事上，在日常生活中亦隨處可見。在《獵書遊戲》裡，我們看到艾蜜莉和詹姆斯將密碼視為：「將可理解的訊息轉換成難以理解的訊息，並且使得有秘密訊息的人能夠逆向回復，但缺乏秘密訊息的攔截者或竊聽者則無法解讀。以及，與其相對應的破譯方法。[3]」他們彼此藉著編碼加密訊息溝通交談自娛，而更重要的是，他們必須竭慮殫思並冒著危險去弄清楚愛倫坡《金甲蟲》書中隱藏的秘密訊息。

故事的開端，就帶來驚悚懸疑的氣氛。獵書遊戲創辦人、海灣出版社執行長格瑞森・葛斯華德啟動新遊戲的發表會之前，在捷運站遭到兩名歹徒狙擊，生命垂危，震驚了書籍狩獵遊戲的玩家們。他親手製作剛印好的愛倫坡《金甲蟲》特別版[4]，被歹徒丟落在垃圾桶旁。葛斯華德原先的盤算，《金甲蟲》是這次新遊戲的源頭開始，若循線尋找下去，解決一連串的智力難題，就會發現無價之寶。因此，他希望讓一個對的人找到他的書。

艾蜜莉和詹姆斯誤打誤撞撿到葛斯華德的《金甲蟲》新遊戲，憑著熱情和智慧，「偵探，任何不尋常之處都要注意」、「從什麼都沒有的地方看出創意，在其他人認為的垃圾裡發現謎題」，執意要完成葛斯華德的遊戲，因為，這對葛斯華德意義很重大。令人感到震驚的是，半路上殺出了個程咬金，受雇於葛斯華德的珍稀書籍收藏家雷莫拉竟然以暴力加入搶《金甲蟲》的行列，這使得艾蜜莉和詹姆斯的探險更是危機四伏，作者如此安排增添了故事的強大吸引力。

經過層層關卡的鬥智與鬥力，遊戲的終點，艾蜜莉他們終於找到標出地點的藏寶圖，挖掘出一份愛倫坡從未問世的珍貴作品手稿，但雷莫拉也跟蹤而至。接著上演「螳螂捕蟬，黃雀在後」一幕你爭我奪的好戲。不過，最重要的且令人擔心好奇的是，生死未卜的葛斯華德存活下來了嗎？艾蜜莉害怕不僅會失去葛斯華德先生，也會失去獵書遊戲，從而失掉尋書（寶）帶來的快樂和刺激感。

作者在書末有一文〈寫在這本書後面……〉，表明她喜歡謎語和密碼，而也發現愛倫坡對密碼情有獨鍾，於是環繞《金甲蟲》的故事就此萌發。她並進一步指出，故事純屬虛構，例如愛倫坡並沒有任何未公開的小說手稿。不過，書中提到的一些歷史背景則是真實的，例如魯弗斯・葛斯華德與愛倫坡的恩怨糾葛。至於舊金山地區、地標等也都是真實的，例如赫赫有名的城市之光書店。這篇文章，幫我們釐清人事物的真假虛實，有助擴展我們閱讀的深度和廣度。

小說中的獵書遊戲是葛斯華德創辦的一個愛書人的社群，幫助大家和朋友一起分享書籍、閱讀心得和探險。人們把讀過的書藏在公園之類的公共場所，然後將線索或謎語上傳到專屬網站。玩家追蹤這一本書的旅程、它的下一個目的地在哪裡，誰找到它，就給予點數，依點數累積程度頒給不同等級的頭銜，做為獎

賞，此一構想滿是新奇並饒富意義。

國內近年來的漂書運動的意旨和方式，與《獵書遊戲》相似接近，主要不同在於沒有「獵書」遊戲。此一運動由交通部推動，臺灣漂書協會亦於民國102年10月舉行臺灣首屆漂書節，揭示「自由、分享、閱讀」三大核心價值，歡迎大家在公共場所放漂好書，將知識分享給更多的人[5]。愛書人，您想共襄盛舉？那就到高鐵站、火車站、高速公路休息站或國家公園服務站等公共場所，借閱好書，並捐出好書、放漂吧！

我讀我見

線索不可能是死路。

一、故事中，艾蜜莉的雙親想住遍全美「五十州，五十個家」。舊金山已是艾蜜莉第九個家，宛如遊牧民族，她深為所苦。所幸，雙親敏感也能感情互動，已然察覺經常搬家會增加孩子的壓力，同時也疏忽孩子的夢想和渴望。他們不想成為他人眼中情感缺失的父母，而孩子亦不是「假性孤兒」[5]。開始轉而尊重孩子的想法，這是書中令人感動的另一個亮點。

二、文本引述傑克・凱魯亞克（Jack Kerouac, 1922-1969）：「在我沒有選擇的方向，我錯過了什麼？」我們經常面臨選擇和取捨，在魚與熊掌不可得兼的境況下，勢必要放棄其中某一個。然而，要為錯過什麼而悔恨嗎？須知「梅須遜雪三分白，雪卻輸梅一段香」[6]，環肥燕瘦各有千秋，各擅勝場，不是嗎？

【延伸好讀】琳賽・吉普森（Lindsay C. Gibson），《假性孤兒：他們不是不愛我，但我就是感受不到》，范瑞玟譯，小樹文化出版，255面；23公分（2016.09）。

注釋

1.情節驚悚迷離的《達文西密碼》是丹・布朗（Dan Brown）寫的一本暢銷小說，描述符號學教授羅柏・蘭登破解一樁謀殺案的故事。中文版，尤傳莉譯，時報文化出版（2004.08）。

2.2014年電影〈模仿遊戲〉，講述圖靈破解德國軍事密碼，讓無數生靈免於戰火荼毒的真實事蹟。後來，圖靈以其男同性戀傾向，不見容於當時的法律，被政府判刑：坐牢或化學閹割。為了繼續研究工作，他選擇了後者。不久，圖靈自殺，食用浸泡氰化物的蘋果而亡。得年僅42歲，令人唏噓喟嘆！見《維基百科》〈艾倫・圖靈〉。

3.參見《維基百科》〈密碼學〉。

4.埃德加・愛倫・坡（Edgar Allan Poe, 1809-1849）《金甲蟲》，是他的最流行的和最被廣泛閱讀的作品。亦被視為現代解謎小說（如《達文西密碼》、《玫瑰的名字》）的先驅，普及推廣了密碼學和解密文學。詳見《維基百科》〈愛倫・坡〉。

5.詳見下列兩個網站：中華民國交通部漂書主題網和台灣漂書協會。

6.琳賽・吉普森（Lindsay C. Gibson），《假性孤兒：他們不是不愛我，但我就是感受不到》，范瑞玟譯，小樹文化出版（2016.09）。探討親子關係的書：如何不被「拒絕改變」的父母傷害而自我療癒、父母者要讓孩子有親密感與安全感，別讓他們成為假性孤兒。

7.出自宋・盧梅坡〈雪梅〉：「梅雪爭春未肯降，騷人擱筆費評章。梅須遜雪三分白，雪卻輸梅一段香。」

40 回到叢林荒原：弱肉強食，優勝劣敗

——極北

書名：極北（*Far North*） 319 面；21 公分
著者：馬賽爾・泰魯（Marcel Theroux）
譯者：李靜宜
春天出版（2017.03）

> 當惡以善的容貌出現，便獲得一個　新的面向：惡變得沒有對手，也毫不留情。
>
> ～艾曼紐埃・皮侯特《今天，我們還活著》

集編劇、電視廣播主持人與小說家於一身的馬賽爾・泰魯（1968－），他的第二部小說《撒紙追蹤》曾獲得毛姆小說獎。《極北》是他的第四部小說，獲法國 Prix de l'inaperçu 獎，入選美國國家圖書獎，《洛杉磯時報》評選年度最喜歡的小說之一。著名的日本小說家村上春樹在讀了原著後，大為讚賞直呼：「這本書我非翻譯不可！」說到做到，他除了將它翻譯成日文版外，也特地寫了一篇〈後記〉，闡述原委始末。可喜的是，中文版亦附上他的日文〈後記〉的中譯，讓我們多知道一些馬賽爾事蹟。

讀《極北》，顛覆了吾人原有的遷徙認識。大約3,500萬年前，人類的遠祖在非洲出現後，於一百萬年前進入歐亞大陸比較溫暖的地帶，經過寒帶地區再進入氣候酷寒的西伯利亞，然後跨過白令海峽穿越阿拉斯加，加拿大，美國，直抵南美南端[1]。然而，文本敘述的移墾家庭，卻是從美國芝加哥遷徙至天寒地凍的西伯利亞荒北極地，與先祖的播遷路徑逆向而行，著實令人大感好奇。這裡，凍原荒北，也就是故事孕育發生地。

小說中，那些移墾家庭並不是因貧窮而離開家鄉，只因為堅信舊世界行將急遽崩壞，他們厭棄金錢追逐、貪婪無饜、偶像崇拜等陋習，一心想要找回人生原本應有的靜默旋律－儉樸、刻苦，過著遺世獨立的生活。「由四季與體驗艱困所形塑的生活－和像他們一樣的人來往。」

初始時，移墾城的確是一個美麗的新世界。然而，好景不常，從乾旱焦灼的南方湧來飢餓的暴民，奪走他們的糧食，殺死任何反抗的人。於是，為了是否組織武裝衛隊，城市內開始鬧分裂。「誓言拋棄舊世界的移墾者，到頭來舊世界卻自己找上門來。」兩派人馬為了爭奪主導權而肇致直接衝突。其結果是，年輕的梅克皮斯被蒙面惡徒以鹼水殘酷地毀容變了樣，惡徒辱罵：「耶洗別[2]」聲音清澈嘹喨，其父詹姆斯・哈特菲德也憤而自殺。

禍不旋踵，失序的情況加倍惡化，居民一個個離去，人都走光 了，伊凡傑林市變成一座空城彷若是一個鬼鎮。一個正義已然毀滅的城市取代了一個美麗的新世界。梅克皮斯個子高，肩膀寬，嗓音低 沉，又剪短頭髮，初遇讓人誤以為她是男人。她參與治安工作，任命自己為治安官。文本開場第一句話：「我每天帶上槍，出門去巡視這黯淡的城市。」梅克皮斯也說過，在凍原荒北人人必須配帶槍隻，這是常識。凡此，說盡了空城鬼鎮的危殆孤獨淒涼與無奈。

由於心繫死去的婦人和其孩子、在湖邊看到的飛機，這些帶給梅克皮斯前所未有的希望，她迫不急待的出走，奔上高速公路，開始找尋另一個移墾城，另一個與自己息息相關的世界。「我的人生算不上什麼磨難。只是風寫在雪上的一個漫長且殘酷的笑話。」梅克皮斯的旅途，艱難險阻備嘗，命在旦夕之間。在諸多危疑震撼的事件中，最精采與大快人心者莫過於她射殺了埃班・卡拉德。只為了，她聽到多年來一直在她記憶裡迴盪耳際叫喊的。耶洗別。

那麼，在北方極地之外的世界又是什麼景況？夏蘇汀告訴梅克 皮斯說，「整個世界變得更荒涼，更沒意思。人類的痛苦大同小異：難民營，奴囚，饑荒，暴力，用蠻力奪取實物和性。」為了爭奪維持生活所需又日漸稀少的資源，人類動輒暴力相向，在那個時候已沒有國家的存在，整個地球的文明已被摧毀，倒退到石器時代。甚至，來到大滅絕，世界末日的時刻。

作者以順敘和倒述兼具的技巧和手法，藉著優美樸實的文字訴說了一則峰迴路轉，有驚奇、引人入勝、有妙趣的梅克皮斯極地求生歷險故事，讓人留下深刻印象。故事刻畫的是，在一個律法與道德蕩然無存與失序的末世蠻荒世界，沒有警察也沒有法官，你如果手上沒有一把槍就會淪為奴囚或者喪命的慘境。如若以此一未來預言對照我們現在的境遇，後人一定會有「何昔日之芳草兮，今直為此蕭艾 也。[3]」的哀嘆。我們可以從未來的預言得到教訓嗎？此時此刻起就該提醒警戒自己，從此不要自相殘殺與破壞環境，要讓人類與地球能夠永續存活下去。

最後，文本中另有一番特色，就是珠璣字字俯拾皆是，更添文章靈動多姿，令人回味無窮，亦也佩服作者出色的才思文采。茲摘錄數則如下共賞。

知識和權力可以讓你變成神。

我這輩子都像隻走在冰上的貓，踏出每一步之前都要試探一下。結果呢，我卻躡手躡腳地走進捕熊的陷阱。

支撐我人生的是種種厄運，一如我們懷抱的希望支撐著我的人生一樣。

在還不了解自己有多幸運的時候，我們真的非常幸運。

奮鬥的痛苦，教人學會忍耐克制的重要。

要是鹽失去了味道，那該用什麼來給鹽添鹹味呢？

我讀我見

你想要什麼。

一、文本中引聖經故事說：「自從該隱殺了站得比較靠近上帝的人之後，我們一直在殺戮。[4]」這世界一直在自相殘殺，在《第三種猩猩》[5]也寫著：「自相殘殺與破壞環境－人類的陰暗特徵，引我們走上毀滅的道路。」人與人之間無時不刻在進行各種不同形式的競爭，拼個你死我活乃是事情的常態。再說，如今世界上的強權莫不競相發展核武，以相互保證毀滅，與汝偕亡的戰略思想，贏取一種恐怖平衡，害怕的是一旦擦槍走火，勢必導致文明世界的毀滅。於此，讓我們體悟的是，弱肉強食優勝劣敗的叢林法則是無所不在的。不管是個人或國家，唯有壯大自己並獲得別人的敬重，才是生存下去的不二法門。

二、此一小說，也提醒我們凡事謹小慎微。埃班‧卡拉德編了一套天衣無縫、合情合理的動人說詞，瞞過梅克皮斯，並取得信任。不過，卻在無意中脫口而出的一句咒罵：「妳這耶洗別！」引來梅克皮斯驚醒，埃班‧卡拉德終而命喪其槍下。「那些自以為藏得很好的舊有慣性動作，就被身體找回來了。[6]」這也說明了某些情況下，唯有誠實才是最好的政策。

【延伸好讀】賈德・戴蒙（Jared Diamond），《第三種猩猩：人類的身世與未來》，王道還譯，時報文化出版，430面；21公分（2014.05）。

注釋

1.賈德・戴蒙（Jared Diamond），《第三種猩猩：人類的身世與未來》，王道還譯，時報文化出版（2014.05）。第三種猩猩，指的是除了黑猩猩、矮黑猩猩（巴諾布猿）外，那就是「人類」。人類和黑猩猩基因上只有1.6%的差別，是另一種大型的哺乳類罷了，但人類何以自詡為萬物之靈？這是一本檢視人類演化過程的精采之作，佳評如潮。曾獲得英國科普書獎、《洛杉磯時報》科普書獎。

2.耶洗別（Jezebel），舊約聖經中的負面人物，以色列國王亞哈的王后，自稱先知，冷酷殘忍。詳見《維基百科》〈耶洗別〉。

3.典出《楚辭・屈・離騷》。蕭、艾為雜草，芳草指的是蘭、芷。

4.該隱因嫉妒，殺了弟弟亞伯。依《聖經》創世紀的記載，該隱與亞伯是亞當與夏娃的二子。因此，該隱是世界上第一個人類，第一個犯下殺人案；而亞伯是世界上第一個死去的人類。詳見《維基百科》〈該隱與亞伯〉。

5.同注1。

6.引自艾曼紐埃・皮侯特，《今天，我們還活著》。德軍士兵馬提亞斯在美軍面前，一切掩飾得毫無破綻，十全十美，卻在一次忘情的立正，皮鞋足跟發出的聲響而洩了底。

不要再回頭了，想想現在和未來

——白色城堡

書名：白色城堡（*Beyaz Kale*）　222面；21公分
著者：奧罕・帕慕克（Orhan Pamuk）
譯者：陳芙陽
麥田出版（2017.08，二版）

畢竟時光不能倒流。人們不能總是沉湎在假設的情境裡。人應該明白自己擁有的並不比別人差，或許還更好些，該要心存感激才是。

～石黑一雄《長日將盡》

奧罕・帕慕克（Orhan Pamuk, 1952-）著作等身，2006年諾貝爾文學獎得主，他是土耳其得這一獎項的第一人，頒獎詞稱：「在尋找故鄉的憂鬱靈魂時，發現了文化衝突和融合中的新的象徵。」獲1990年美國外國小說獨立獎的《白色城堡》（1985年），為其代表作之一，可以說是此一獎詞的具象體現。在他眾多成功的作品中，《我的名字叫紅》（1998）亦是蜚聲國際文壇，廣為人知。帕慕克來過台灣，於2004年11月應邀在國立政治大學土耳其語文學系發表演說[1]。

《白色城堡》訴說的是兩名形貌極為相似的男子交換人生的故事，一個是西方義大利的基督徒，一個是東方土耳其的穆斯林。他們相遇了。他們無法忍受作為自己，一直想要成為對方的他。小說的背景定格在十七世紀鄂圖曼帝國，是時帝國處於停滯及衰退期。文本也提到的維也納之戰，史實計有三次，皆鎩羽而歸無功而返。最後一次，就是在1683年，遭波蘭、德國等聯軍擊敗，鄂圖曼帝國從此無力再對歐洲大陸進行霸權擴張政策。至於伊斯坦堡（前稱君士坦丁堡）則是橫跨歐亞大陸的一個大城市，當時為帝國首都且是經濟、文化和歷史中心。

作者匠心獨運，他婉轉地透過一位名叫法魯克．達維諾克撰寫的「前言」交代了這本書的來龍去脈。法魯克．達維諾克，1982年在蓋布澤的一間「檔案室」發現了一份十七世紀的古文稿，雖然稿中所述事件有些跟史實不符或未見記載，甚且該稿也沒有留下作者名字，但法魯克深深著迷文稿中所揭露的故事，於是將古文稿忠實地修訂成為當代的土耳其文後，出版面世。因此，我們現在捧讀的這本《白色城堡》的作者並不是奧罕．帕慕克，而是十七世紀的一位無名氏。此一寫作手法，與《科學怪人：另一個普羅米修斯》的故事是來自北極探險船領隊沃爾登的記錄，實有異曲同工之妙。

一場海戰，使得威尼斯人「我」（敘事者）輾轉成為土耳其人霍加（意為「大師」）的奴隸。教人驚訝不置的是，這兩人的外貌有著「不可思議令人膽怯的相似」，宛似孿生兄弟。敘事者懂得一些天文學、數學、物理、繪畫和醫學知識。嗜好科學的霍加求知若渴，讀遍敘事者帶來的書，也要求他傳授所記得的一切事物給他。他們從而一起探索、一起發現、一起進步。兩人有著對科學狂熱的追求，也有對理想共同的執著，彼此互為需要之際當然亦不乏有所爭執。只是，敘事者一心想的是能趕快返回家鄉，但受制於他堅持不改信伊斯蘭教成為穆斯林，以致歸鄉遙遙無期。在此期間，霍加要他多談談從前在祖國的事。霍加想替代他，而敘事者也想取代他。敘事者自己做過夢：「霍加代替我回到祖國，和我的未婚妻結婚，婚禮上沒有人知道他不是我。」

故事中，精彩描寫他們兩人一起為帕夏（土耳其高級文武官員的通稱）的婚慶典禮，成功表演了前所未有的絢麗高空煙火秀，震驚整個伊斯坦堡，也開始受到蘇丹的注意。接著，境內發生可怕的瘟疫死亡無數，這不是天譴也不是命中注定，他們兩人攜手提出防範措施，幸而控制了疫情打敗了瘟疫。妙的是，原本是宇宙結構學狂熱者的霍加，卻誤打誤撞成為成為皇室星相家，深得年幼的蘇丹信任。

更值得一提的是，霍加受命研發一種「把世界變成我們敵人牢獄」的武器，在北伐波蘭人時，這尊大砲上場了。不幸的，在多皮歐之役，他們不敵奧地利、匈牙利及哈薩克人與波蘭人的聯軍。他們永遠無法攻佔「那座白色的城堡」，永遠無法抵達「這座城堡的白塔」。此一情節，相似於法蘭茲・卡夫卡（Franz Kafka, 1883-1924）的《城堡》（*Das Schloß*），它描述主人公 K 是一名土地測量員，奉召去一座城堡，但他窮盡一切方法和努力仍然徒勞無功，K 至死都沒有能夠進入城堡[2]。因而，這也說明了奧罕・帕慕克是深受卡夫卡的影響。

象牙色的建築物，純白美麗的城堡。在暮靄中，城堡白塔閃現微光。書名的來源？

故事尾聲，戰役之後，霍加選擇遠走高飛。他們換穿衣物，敘事者給了霍加戒指及勳章（裡面有曾祖母的照片），一綹變白的未婚妻髮絲。「我看著他慢慢消失在寂靜的霧裡。」而敘事者選擇留下來當替身，接替霍加做皇室星相家，積存錢財結了婚生子。當意識到蘇丹整肅異己，腥風血雨將來臨前，放棄職位逃到蓋布澤，看書寫書自娛。愉快地相信自己的故事，敘事者就此寫下這本書。書中的敘事者讓人覺得：「你顯然從未去過義大利！」

他們兩人都邁向新生活、展開新人生。不過，問起敘事者變成霍加後，自己是否感到快樂？他沉默不語。有句名言：「不要稱任何未死之人為快樂之人。[3]」他的沉默不語，是這句話的鐵板註腳？

這部小說的情節簡單文字靈動，有關知識流動、族群文化與宗教的融合，以及身分認同的意涵深刻，具有啟迪教化的功能，值得仔細玩賞。

我讀我見

不為什麼。

一、文本上說：「一個人是誰有什麼重要？重要的是，我們做過與將要做的事。」派屈克·莫迪亞諾《暗店街》：「從現在起，不要再回頭了，想想今天和未來吧。[5]」在生活中，雖然過去會決定未來，然而如何拋開陰暗的過去，不再陷入後悔的泥淖，努力追求有意義的新生命更是重要。故事中，霍加和「我」各自揚棄舊身分，對抗疲憊的煩悶，從停止的地方開始充滿新契機的生活，意欲挑戰並超越自我，讓自己變得更好。這應該就是清末民初的文學家梁啓超所說的：「不惜以今日之我，難昔日之我。」之意了。

二、一個人如果是「不再希望了解自己不明瞭的事」，就會成為文本說的是一個「笨蛋」，如今知識與科技的不斷進步，一日千里銳不可當，時時有新事物、新詞彙出現，令人目眩神迷。想讓自己跟上時代潮流，享受科技文明帶來的便利舒適，只有敞開心胸而不是故步自封。我們永遠都要保有一顆年輕好奇的赤子之心。

【延伸好讀】派屈克·莫迪亞諾（Patrick Modiano），《暗店街》，時報文化出版，303面；21公分（2015.01，初版五刷）。

注釋

1.見《維基百科》〈奧罕·帕慕克〉、《百度百科》〈白色城堡〉。奧罕·帕慕克，《我的名字叫紅》，李佳珊譯，城邦文化出版，519面；21公分（2015.12，三版）。

2.見《維基百科》〈城堡（小說）〉。另見波赫士，《波赫士的魔幻圖書館》，王永年、林一安譯，臺灣商務出版（2016.12）。

3.語出《伊底帕斯》歌劇最後的合唱句。引自柯慈，《屈辱》，孟祥森譯，天下遠見出版（2010.01，二版二刷）。另按，網路上查到的名言：「無論誰，只要他還活著，你就不能稱他是幸福的。」見《每日頭條》〈希臘經典格言30句〉。

4.派屈克·莫迪亞諾（Patrick Modiano），《暗店街》，時報文化出版（2015.01，初版五刷）。派屈克·莫迪亞諾是2014年諾貝爾文學獎得主，《暗店街》（1978）曾獲龔固爾獎。此書描述一位10年前突然患了失憶症的私家偵探社的居依（Guy），如何在迷霧中沿著線索追尋，「我必須找出我是誰，並且寫下來。」他在巴黎街廓一次次的尋訪，甚至遠到南太平洋的島嶼。每一次都心存希望，而每一次都大失所望。最後，他必須去到羅馬的暗店街，但是「這世上還有認得他的人在等他嗎？」

五

寬恕放下

逆來順受才能活下去

——屈辱

書名：屈辱（*Disgrace*） 332 面；21 公分

著者：柯慈（J. M. Coetzee）

譯者：孟祥森

天下遠見出版（2010.01，二版二刷）

> 人們應該充分喜歡他曾經選擇的人生，才能在人生終局時稱之為自己的人生；我就是這樣。
>
> ～奧罕・帕慕克《白色城堡》

柯慈（1940-）是第一位兩度獲得英國文學最高榮譽的布克獎（The Booker Prize）的作家—《麥可・K 的生命與時代》（1983）與《屈辱》（1999）。在2003年，他獲得諾貝爾文學獎，獲獎理由為：「在人類反對野蠻愚昧的歷史中，庫切（柯慈）通過寫作表達了對脆弱個人鬥爭經驗的堅定支持。」他的作品，均在強調：如何在逆境中存活下來。「作品的主人公往往遭受了沉重的打擊，被剝奪了外在的尊嚴，但他們總是能從失敗中獲得力量。[1]」《屈辱》中的父女—魯睿教授與露西，就是這麼樣的人物，他們在逆境中獲得救贖。

歷史上，南非在1652年遭到荷蘭人入侵殖民，到了十九世紀初又遭英國發動殖民戰爭並取代了荷蘭的地位。白人統治當局在南非推行種族歧視和種族隔離政策，然而黑人民眾起義及抗議事件也風起雲湧、前仆後繼。直至1994年舉行民主普選，南非種族隔離政策才正式結束[2]。出生於南非開普敦，荷蘭裔移民後代的柯慈就是成長於種族隔離政策成形並盛行的年代，置身在不同文化間的激盪與對立的環境之中。

作者在書中，既不特意摹寫種族膚色（唯一例外，稱露西在農莊的幫手貝德路斯是老式的卡非爾黑人），也不煽情著墨種族仇恨，因而留下諸多想像的空間給讀者。就如譯者孟祥森於〈譯後〉一文中，說的：「作家是他的心向一切可能性開放的人。」只不過，在閱讀旅程中，常是不由自主地連想起南非—就是那個曾經是鐵腕實施過種族隔離制度，而引起國際撻伐譴責和制裁的國家。於是，開始揣測這個人是黑人、那個人是白人，並從膚色為那個（些）人欠缺友好文明的行為找尋看似理所當然的理由。因此，《屈辱》這部寓意深刻的黑色諷刺小說，描繪的應當就是後殖民時代南非土地上人們的仇恨與暴力、屈辱和承受。但是作者會同意讀者做這樣的詮釋嗎？這樣是否扭曲了作者內心深處的真意？

《屈辱》有著挫敗、性與赤裸裸的暴力的過程，是一部令人讀來感到悲傷、難過的小說。它的發生地，是住在鄉下的人（應該是指白人吧？）必須擁槍自衛，一旦有事警察卻幫不了忙的南非。書中主要角色，一是住在南非開普敦、已離婚的五十二歲魯睿教授，他的苦難遭遇，讓人哀憐同情；另一要角，魯睿的女兒露西，住在好望角東方小鎮外的一個農莊，她是「恨。歷史的仇恨。歷史的錯誤。只有他們的恨。」的受害者。因此，魯睿不僅哀憐自己的歹命，又得悲憫露西的不幸。「屋漏更逢連夜雨，船遲又遇打頭風」就是他的寫照。

小說的前段，描繪在大學任教的魯睿。鰥居。以「我是愛慾之神的僕人，是神藉由我而行動」自詡，身上時時想望著「慾望權」的滿足並遂行之。有一次，愛上小了他30歲的學生梅蘭妮。「她卻是他生活中真實的存在，有體溫與呼吸的存在」，春風數度。因為魯睿把「權力關係和性關係相混」，被指控騷擾學生、行為不檢。在校園，掀起很大的風波。但他認為這是將私生活變成了公共事務，不肯妥協、也不願「公開認錯，自我批評，當眾道歉」，於是校方要求他辭職。魯睿丟了差事，名譽掃地，成了有污名的人，像罪犯一樣偷偷摸摸，朋友也都避之惟恐不及，大好前程粉碎了。無可奈何，揹負著屈辱的他只好離開，跑到好望角的鄉下去依附女兒露西生活。

小說的後段，主要就是繞著露西遭到闖入家中的三個暴徒（黑人？）強暴事件轉。魯睿在此一不幸事件中，也受到暴徒的攻擊蒙受傷害。他覺得露西的農莊處於人煙稀少而且滿是危險的地方，因此勸她回到荷蘭。出人意表的是，露西認為遭此不幸是「歷史的仇恨。歷史的錯誤」所導致，是在償債，這是她繼續留在南非必須付出的代價。她沒有報警，想把小孩生下來，就是成為貝德路斯第三個妻子也無不可，因為她需要有人保護。「如果我現在離開農莊，我就是敗退，以後終生都會品嘗這失敗的滋味。」、「發生在我身上的這件事，純粹是我個人的事。換個時間，換個地方，它可能變成公共事務。但在這個地方，在這個時候，它不是。」她說：「在我的人生中，是我在做決定。」露西回絕了父親的好意，她要自己當家作主。

小說的結局，魯睿與露西均選擇去面對現實，不管是心悅誠服還是迫不得已，他們都想根留這塊土地上，沒有想要「逃離」現場回到荷蘭。就魯睿而言，他靜下心來開始他的新生活，在動物診所幫著碧芙・蕭（黑人？），做著狗兒無痛死亡的工作。至於，前些日子時刻盤繞他腦海的，創作那齣小型歌劇《拜倫在義大利》（描述著名的浪漫主義詩人拜倫為了逃避性醜聞，來到義大利，在那裏又與年輕貌美的德雷莎搭上，迸出他最後的火熱戀情。魯睿是想以此自況嗎？）的念頭，也跟著灰飛煙滅了。原本他是期待以這齣歌劇重返社會，再登學術殿堂的。如今，他放下一切了。不再嘆息，悵恨，悵恨沒有出路。

文本有段話，取譬巧妙，擲地作金石聲，但老男人讀了，或會氣憤填膺怒不可遏。單從字面上看，它是抨擊老男人，反對老少配。但出自「身為終生愛戀女人的人」魯睿之口，使人懷疑這係頓悟前非的肺腑之言，還是反諷的戲謔之語？

這個國家，不是老男人的。企圖傳播老種，企圖傳播陳舊無力地種子，那不生根不發芽的種子，違背自然，「如果老男人抱住年輕女人，則人類這個物種還有前途嗎？」

我讀我見

不總是這樣。

一、岩本茂樹：「我們對構成社會的人們，依然必須表達敬意，進行崇聖儀式；然而如果有人無法遵守這種規矩，則說不定會被社會視為敵人，群起而攻。[3]」魯睿因不願配合演出「捶胸、頓足、悔過，最好是痛哭流涕」的「電視秀」，終致丟掉教職。不按照社會規範的腳本演戲，其下場是非常可悲的？

二、「但身為老師，我們站在有權力的位置。」權力是什麼？社會學者說，權力是一種社會現象，廣泛存在於人際互動之間，指的是在反對情況下仍能實現自己意志的能力，它具有強制性和不平等性。赤裸裸的暴力，是權力表現形式之一[4]。從這一角度來看，這部小說處處展露人與人之間的權力關係的變化，我們可以讀出「權力如同遊戲般游移不定[5]」的寓意—沒有人是永遠占上風的，宰制者與被宰制者的地位不是恆定的，會有逆轉易位的時候。若能仔細檢視魯睿與梅蘭妮，或者露西與貝德路斯，抑是魯睿與露西，還是強暴犯與露西等等的權力關係的演化，必定會獲得一些啓示。

【延伸好讀】岩本茂樹，《寫給每個人的社會學讀本：把你的人生煩惱，都交給社會學來解決吧》，李尚霖譯，時報文化出版，239面；21公分（2017.11）。

注釋

1.見《百度百科》〈約翰・馬克斯韋爾・庫切〉。在臺灣，譯為約翰・麥可・柯慈。

2.南非種族隔離，指的是1948年至1994年間南非共和國在南非國民黨執政時實行的一種種族隔離制度，當時佔大多數的黑人的各項權利受到大幅限制，維持歐洲移民的阿非利卡人的少數統治。事實上，南非的種族隔離早在荷蘭統治時就已經開始。詳見《維基百科》〈南非種族隔離〉。

3.見岩本茂樹，《寫給每個人的社會學讀本：把你的人生煩惱，都交給社會學來解決吧》，李尚霖譯，時報文化出版（2017.11）。岩本茂樹是位社會學者，他以社會學的角度來審視理解人與人的關係、人與社會的關係，襯以權威學說、文學名著、知名電影或個人體驗等等例子的解說評註，讓我們得以了解自己與他者，解決人生困惑煩惱。此書沒有艱澀難懂的理論，議題貼近我們的生活。

4.見《維基百科》〈權力〉。此外，社會學家韋伯（M. Weber, 1864-1920）對權力定義為：「在某種社會關係中，自己的意志即使與抵抗勢力反道而行，亦可以貫徹執行的所有可能性。」

5.同注3。

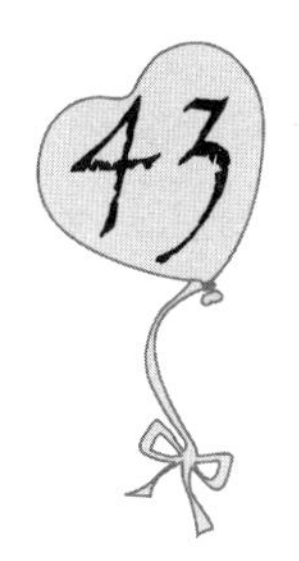

鬼可怕人更可怕

——豪門幽魂

書名：豪門幽魂（*The Turn of the Screw*）　252 面；21 公分
著者：亨利・詹姆斯（Henry James）
譯者：柯宗佑
遠流出版（2013.10）

你也許能從這故事中找到一些答案，或是沒有答案，
因為很多事情是沒有標準答案，沒有絕對，沒有對錯。
～朱永祥《沒有答案的旅程》

亨利・詹姆斯（Henry James, 1843-1916）出生在美國，著名的心理學家與哲學家威廉・詹姆斯（William James, 1842-1910）是他的兄長。他在1915年歸化為英國公民，被譽為西方現代心理分析小說的先驅，在世界文壇佔有舉足輕重的地位。擅於寫小說，也能寫文學評論以及劇本、遊記等。有3部作品入選二十世紀百大小說：《鴿翼》（1902）、《使節》（或譯：奉使記）（1903）與《金碗》（1904）。他的小說，特色在於創造模稜兩可的情節，教人衍生無盡的遐想思量，因而誘人地一讀再讀不厭倦。拉丁美洲文學大師波赫士（Jorge Luis Borges, 1899-1986）就說過，詹姆斯的那些豐富的作品，寫出來就是為了要人慢慢回味、細細分析的[1]。

出版於1898年的《豪門幽魂》，也就是這麼一部至堪回味的中篇小說。由於書中魅影幢幢、恐怖驚悚，《豪門幽魂》因此被歸類為「哥德小說」知名代表作之一[2]。文本的譯者似乎不怎麼滿意書名譯成《豪門幽魂》，他在譯序說：「這一名（書名）之轉，由於決定權不在我，……。」小說原名《*The turn of the screw*》按其字面的意思是「轉動螺絲釘」，那麼究竟是擰緊或是轉鬆？作者巧妙營造出步步驚魂、處處動魄的場景，的確會讓讀者深深陷落戰慄、懸疑與緊張的氛圍。心中的謎團層層疊疊，惶悚著迷感到神經緊繃，讓人喘不過氣來。讀著讀著，於是吾人的思緒就像是愈擰愈緊的縲絲一樣。時時不寒而慄卻愛不釋手。

故事的開場前戲—楔子，就帶來恐怖的氣氛。古屋，寒冬夜晚，一群人圍爐話鬼。當中有一名稱為道格拉斯的說，他保有一部手稿，裡邊滿是詭譎膽戰的情節，集醜怪、驚悚、悲痛之大成，保證大家聽了會嚇破膽。道格又說，手稿的撰寫者是一位女士，20年前過世了，生前把稿子送給他。她是他妹妹的老師，早先，則是在布萊莊園當一對男女小孩的家庭教師並照顧他們，孩子的唯一親人是住在倫敦豪宅的叔叔。怪的是，年輕倜儻的叔叔，也就是她未來的老闆（僱主）在面談時告訴她，不管發生任何事，要自己解決，不需要面報也絕對不准去打攪他。雖然疑惑不安，但看在優渥的報酬她接下這份工作了。

道格交代完上述那些事後，拿起手稿朗讀起來，正式的故事就此登場了[3]。故事要角是涉世未深的年輕漂亮新任家教「我。撰寫者」，還有古老莊園女管家葛羅斯太太、兩個氣質出眾且聰慧高雅的小孩子（不到10歲的邁爾斯與8歲的芙蘿拉）、兩個神秘的亡靈魅影（疑似已死去的貼身佣人昆特和前任女老師潔索）。問題來的突然，傍晚天色還沒黑時分，陸續在莊園的高塔窗台、飯廳窗外、樓梯、房間講桌或湖的另一端，赫然出現男女鬼魂直盯著女老師看，驚嚇之餘她覺得他們是來帶壞邁爾斯與芙蘿拉的。既是莊園的決策者也是掌舵者，她必須挺身抵抗邪惡的力量，保護兩位小寶貝。

布萊莊園這地方究竟有什麼秘密呢？以前發生什麼事？這些疑慮一直困擾著她，雖然一再尋求葛羅斯太太幫忙、探詢邁爾斯與芙蘿拉，卻鮮有收穫，反而覺得他們與鬼魂之間有種不可言喻的密切連結。「他們全都知道，說不定他們知道的還更多。」大家都在隱瞞，不讓我知道真相！「我想得愈多，就知道愈多，而且我知道愈多，就愈害怕。我看出來了，我很害怕。」、「我之所以想繼續探究，都是因為太想找到出口，想趕快從噩夢中醒過來。」她無法摸清輪廓，陷入朦朧迷霧、置身巨大謎團之中。最要命的，是葛羅斯太太、邁爾斯與芙蘿拉他們似乎不覺得曾有過昆特和潔索的亡靈魅影出現。難道是，她具有看見鬼魂的能力？或者，那是幻想也是幻覺？不，她確信她見到鬼魂。

小說尾聲，因鬼魅和孩子的問題，愈形嚴重，女老師不得不寫信討救兵。要「把孩子的叔叔找來」。不幸的是，信被撕毀根本就沒寄出。昆特的魅影再次出現，女老師抱住全身抽搐的邁爾斯，但是不久邁爾斯解脫了，他嬌小的心臟停下來了。邁爾斯是被嚇死的嗎？被誰？昆特的魅影或裝神弄鬼的女老師？

讀畢全書，猶有餘興未盡之感，總覺得心中有很多疑問未解，謎團依然橫亙眼前。我們倒是很想問問亨利・詹姆斯先生：為什麼叔叔堅持置身事外、不聞不問？邁爾斯到底說了什麼叛逆的話，而被退學了？昆特與潔索彼此有某種親密關係存在？昆特與邁爾斯的親暱有失體統，是什麼樣的親暱行為？芙蘿拉與潔索，她們之間有不可告人之事？女老師心儀英俊的叔叔，會因近水樓台之故移情愛上年幼的邁爾斯？最後也是最重要的，我們要問世上真的有鬼魂魅影這檔事嗎？如果有，那麼女老師是「撞邪」了；如果沒有，那麼是女老師編造虛構的，但所為何來？最糟的情況，或是女老師「發狂」了？這些謎團的答案，誠然耐人思索尋味。

作者善於在每一個事實真相的帷幕行將揭開時，欲言又止、半吐半吞，有時則拐彎抹角、岔到他處，或者操縱語意曖昧不明的文字，使得漸露的曙光霎時又被隱蔽了。我們如陷五里霧中，留下一個個謎給予我們想像豐富的空間，教我們自己去推敲解析。「當你在閱讀的時候，不要只是思考作者在想什麼，而是要思考你在想什麼。」如今作者已死[4]，唯一能提供「標準答案」的線索已然斷絕。那些謎團就時刻縈繞腦海不去，好奇心觸發我們自己不斷去思考聯想探究挖掘字面背後的真意，努力試著讀出自己的心得和道理。

我讀我見

害怕的是人。

一、葛羅斯太太對女老師說：「老師，您先看看小孩子的樣子，再決定立場吧！」這讓我想起，另一本書寫的：「我們常聰明地自已以為可以從別人的外表、或當下的行為，來為每個人貼各式各樣的標籤，卻不知道其實那些標籤上寫的正是自己的無知歧視裡的狹隘和愚昧。[5]」先入為主的主觀思維往往限縮了我們的眼界。因此，下結論之前，不妨退出原有立場，換個角度和方式來看看這個你原以為已熟知的世界。也許，會有「那是不一樣的時空，不一樣的自己」出現呢。

二、文本中兩位男、女孩唯一的親人是多金又帥氣的叔叔，他沒有跟他們住在一起，甚至也沒來探望過，就是放手由家庭教師全權管教。由此觀之，這兩位小孩是缺少了父愛、缺少了學習模仿的對象。於是這兩位小孩人格養成的良窳，繫乎家庭教師施教正確與否。而缺乏監督的家庭教師，如若不能道德自律，往往自以為是，率性而為。引發道德危機（moral hazard）與逆向選擇（adverse selection）的問題。事實上，這二問題就是故事的引爆點。

【延伸好讀】朱永祥，《沒有答案的旅程：放下自我設限去理解那陌生的國度》，木馬文化出版，177面；21公分（2017.05）。

注釋

1.詳見《維基百科》與《百度百科》〈亨利·詹姆斯〉。《豪門幽魂》另有譯為《碧廬冤孽》、《螺絲在擰緊》。

2.哥德小說（Gothic fiction 或 Gothic horror），顯著的元素包括恐怖、神秘、超自然、厄運、死亡、頹廢、住著幽靈的老房子、癲狂、家族詛咒、吸血鬼、狼人等。參見《維基百科》〈哥德小說〉。

3.《科學怪人》（1818）的整個故事是，來自北極探險船領隊沃爾登親身耳聞目睹的記錄。而《豪門幽魂》的故事則是來自家庭教師的手稿。這種藉他者之記錄或手稿與讀者分享，似會讓人感到較具真實性而引起興趣與共鳴。

4.法國文學家羅蘭·巴特（Roland Barthes, 1915-1980）的傳世名言，並不是指生命終止，是指作者對於自己的作品不該做任何解讀的工作。讀者不要依賴作者，閱讀時應該採取一種「評註」的方法，去發現作品的新的意義，及形成一個新的創造性文本。詳見《維基百科》〈結構主義美學〉。

5.朱永祥，《沒有答案的旅程：放下自我設限去理解那陌生的國度》，木馬文化出版（2017.05）。描述作者本人從事國際志工，奔波於他鄉異國服務時的見聞感觸和體悟。他希望世界變得越來越好。深具勵志與教育意義的一本書。

交戰雙方都是輸家

——該隱與亞伯

書名：該隱與亞伯（*Kane and Abel*） 543 面；21 公分
著者：傑佛瑞・亞契（Jeffery Archer）
譯者：宋瑛堂
春天出版（2016.03，初版十一刷）

躲開陷阱、化解風險，沒有確定的明天，甚至在陰影中逆行，這就是我們的生活。

～瑪麗亞・杜埃尼亞斯《時間裁縫師》

初睹《該隱與亞伯》書名深感好奇，以為是敘說《聖經》創世紀裡哥哥該隱殺了弟弟亞伯[1]或者是兄弟鬩牆同室操戈的小說。書封，則是赫然寫著：「超過1億的人已讀過這本書，你讀了嗎？」受到誘惑驅使，於是晝夜披讀這部厚達五百四十三面的《該隱與亞伯》。它說的果然是一個有趣令人難以輟手（unputdownable）的故事。《該隱與亞伯》（1979）是傑佛瑞・亞契（1940-）最暢銷的作品，當年在紐約時報暢銷書排行榜上名列第1；10年後《生而為囚》（2008）[2]，再度登上紐約時報暢銷書排行榜上名列第1[3]。

《該隱與亞伯》的故事內容，事實上完全與《聖經》創世紀無關。書中的兩位主角：一稱亞伯・羅諾斯基（Abel Rosnovski），一稱威廉・凱因（William L. Kane）。“Kane”一字在書名譯為「該隱」，而於內文譯為「凱因」，何以如此安排？教人百思不解。

這部有如史詩般壯闊的作品，時間跨度從1906年到1967年，長達60年其間經歷1914年爆發的一戰、1930年代的景氣大蕭條、1939年德軍入侵波蘭二戰揭幕、1941年美對日宣戰與1945年歐戰結束等重大歷史事件。故事發生地點眾多，主要的有波蘭、西伯利亞、土耳其、波士頓、紐約、芝加哥、倫敦和歐洲戰場等。

故事中的兩位主角亞伯和凱因，同樣出生於1906年4月16日，但亞伯是波蘭斯洛寧人，凱因是美國波士頓人，共同特徵是聰穎好學，精明幹練，深諳「優質教育之重要性無可取代」與「幸運之神眷顧勇士」的道理。亞伯有著離奇坎坷的身世，手上戴著羅諾斯基男爵遺贈的傳家銀手環，9歲時淪為德軍階下囚，13歲時則成了西伯利亞勞改營的囚犯，後來逃亡至土耳其。15歲時移民美國，從飯店服務生幹起，工餘進入芝加哥大學攻讀經濟學科，期待將來能夠衣錦還鄉。他堅信：「全地球上，不靠背景，只憑努力就能成功的國家，美國是唯一的一個。」日後，他成了飯店業的鉅子，躋身名流，樂善好施，並於世界各地廣建男爵飯店，當然也包含波蘭華沙。他的成功鼓舞所有美國人民。他支持民主黨，替波蘭爭取到貿易最惠國待遇。遺憾又可惜的是，原已內定出任美駐華沙大使，卻因故遭仇人從中破壞而搞砸了。

至於凱因，則是含著金湯匙出生的幸運兒，但六歲時父親不幸遭船難而亡，他從此繼承了顯赫的家姓和業績興隆的銀行。一九二四年成為哈佛新鮮人，他是數學高手，精擅理財。不幸，哈佛同窗好友馬修・雷士特罹患絕症辭世，帶給他不小的打擊。後來，他膺任日益壯大的雷凱聯銀行董事長。母親再嫁卻是遇人不淑，弄得人財兩失，這位繼父往後還與仇敵亞伯攜手暗中打擊凱因。本以為坐穩了董事長寶座，不料伺機而動的亞伯再給凱因意外致命的一擊。凱因痛失寶座，跌落凡間。

南轅北轍的兩人是如何糾纏在一起的呢？恩怨情仇又是如何發生的？在彼此不認識不知情之下，亞伯和凱因兩人如何互相救贖，停止愚不可及的互毀行動？兩家父親堅決反對理察（凱因之子）與芙倫婷娜（亞伯之女）」的婚事，不惜父子（女）反目，兩位年輕人如何面對？

也許，我們更繫懷的，是這兩位頑固的老人家在辭世前是否誤會冰釋，安然放下心頭大恨，皆大歡喜不再在商場惡鬥並接納子女的婚姻？彼此才是真正的親家恩人而不是冤家仇人？所幸，表面刻有「亞伯・羅諾斯基」字樣的銀手環，以及來自律師事務所轉交的一封信，帶來一線曙光！

閱讀此一小說時，心中屢屢浮現著名的阿根廷作家曼古埃爾（Alberto Manguel）說的：「我們讀到的，都是我們要讀的，而不是作者寫給我們讀的。[4]」於是，興致盎然地很快讀完全書。

我讀我見

我在說謊。

一、「把重拾過去的念頭拋向背後，只往將來去思考。」人無不努力求生存，且惟有肯努力往前走的人才有翻身的機會，在亞伯的身上印證了這個道理。《逃離之地：我在奧克尼群島的戒癮日記》的作者艾咪・利普羅特也說過：「到現在，想起過往的每件事，我仍會無比震驚，難以置信我讓自己處於那樣的危險中，最後還進了戒癮所。[5]」她毅然決然離開紅塵萬丈的倫敦回到純樸無華的家鄉島嶼。在大自然中，努力抗拒酒精以保持清醒，積極尋找人生的新希望，想為家鄉做一些事。最後，她成功了。她的成功奠基於先翻轉她的舊觀念。

二、亞伯慨言：「得不償失的勝利」，一場遍體鱗傷的勝利。因為亞伯與凱因彼此仇恨敵視而蒙蔽了判斷力，在商場和子女婚姻互相反撲抵制，弄到最後是兩敗俱傷，沒有真正的勝利者。仇恨是一個沉重的包袱，走在危危顫顫的人生鋼索上，我們還需要它嗎？這也讓人想起《金剛經》中的名偈警言：「應無所住而生其心」了。

【延伸好讀】艾咪・利普羅特（Amy Liptrot），《逃離之地：我在奧克尼群島的戒癮日記》（*The Outrun*），郭寶蓮譯，木馬文化出版，302面；21公分（2017.09）。

注釋

1.詳見《維基百科》〈該隱與亞伯〉（Cain and Abel）。根據〈創世紀〉的說法，該隱與亞伯是被逐出伊甸園的亞當和夏娃所生下的兩個兒子。哥哥該隱是農民，弟弟亞伯是牧羊人。該隱是歷史上第一個人類，亞伯是第一個死去的人類。

2.《該隱與亞伯》有篇作者傑佛瑞·亞契自己的簡介，此外，有關他的詳細生平與作品清單，另可參見《維基百科》〈Jeffery Archer〉。

3.《生而為囚》（*A Prisoner of Birth*）的中譯本：傑佛瑞・亞契，《生而為囚》，楊幼蘭譯，木馬文化出版（2010.04）。

4.引自曼古埃爾，《閱讀日誌》，宋偉航譯，臺灣商務印書館出版（2006.05）。

5.艾咪・利普羅特（Amy Liptrot），《逃離之地：我在奧克尼群島的戒癮日記》（*The Outrun*），郭寶蓮譯，木馬文化出版（2017.09）。這是一部勵志與促進心靈成長的回憶錄。作者離開家鄉來到倫敦後，嗜酒如命，過著放浪形骸的生活，直至失去男友，住處和工作後，才不得不冷靜面對現實。她返回出生地奧克尼群島，決心把「清醒」當成人生第一要務，開始貢獻己力幫助一些小島重新活過來。作者有豐富的自然生態知識，得以生動有趣地書寫島嶼形貌。很有趣的一本書。

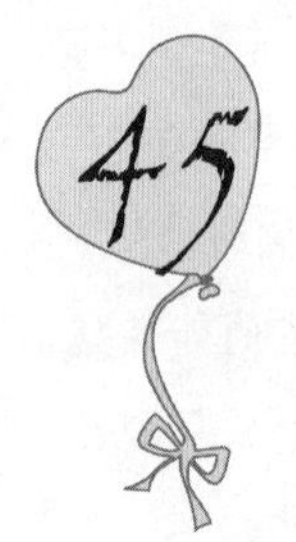

你是我永遠的愛人

——我是海明威的巴黎妻子

書名：我是海明威的巴黎妻子（*The Paris Wife*） 357面；21公分
著者：寶拉・麥克蓮（Paula McLain）
譯者：郭寶蓮
城邦文化出版（2012.01）

婚姻是認真看待愛情的做法，既然我們真的相愛，我們就應該宣誓永遠相愛。

～史考特・薩繆森《在生命最深處遇見哲學》

海明威（E. M. Hemingway, 1899-1961）一生結婚過4次。1921年，時年22歲的海明威愛上了年長他6歲的第1任妻子海德莉（Hadley Richardson）。當時，巴黎文風鼎盛人文薈萃，「是個了不起的好地方」，由於安德森（Sherwood Anderson, 1876-1941）的介紹鼓舞，海明威遂帶著推薦函、攜著海德莉遠赴斯地，直到1927年兩人離異返回美國。

心地善良單純、個性耿直真誠的海德莉，僅僅是海明威旅居巴黎時期的妻子。他們，沒有「執子之手，與子偕老」，一起慢慢變老。因為年輕姣媚靈巧的寶琳闖進來了，海德莉只得黯然求去。在海明威長長的女人名單中，海德莉希望她自己是特別突出的一個。或許，從海明威1964年《流動的饗宴》中的這句話可以肯定這一點，他說：「我多希望在還只愛她一個人的時候就死去。」無庸置疑，他這一生見過最好的女人就是海德莉，雖然各奔西東，惟彼此內心仍然深愛著對方，「你也將永遠是我的一部分。你永遠不會真的失去你愛的人。」

巴黎的那段日子，生活拮据艱辛，但是海明威不忘認真寫作。強烈的企圖心，讓他出版了《三個故事和十首詩》與《我們的時代》，嶄露頭角掙得名望。繼之，因著柏金斯（Max Perkins）[1]買下兩書的版權，才能出版《春潮》[2]和《旭日依舊東昇》（有譯《妾似朝陽又照君》），海明威此時猶如登上高山之巔。這一路走來，都是海德莉陪著，他們彼此激盪出生命的火花，海明威感激地將《旭日依舊東昇》版稅全歸海德莉。而這段旅居巴黎的歲月點滴和內心糾結，以及與海德莉的生活，也成了回憶錄《流動的饗宴》的題材。

更重要的是，此一段時期，結識了文壇上一些獨領風騷的重量級人物，這對海明威的寫作影響深遠，如龐德（Ezra Pound, 1885-1972）、葛楚・史坦（Gertrude Stein, 1874-1946）等人。故事中，甚多描述文人雅士觥籌交錯、酒香漫漫、周旋酬酢、煙霧裊裊的場景。醇酒，不可一日無。不過，成名後的海明威負才任氣和反覆無常，得罪所有好友，甚至踩著別人身子前進，包括上述最支持提攜幫助的安德森和葛楚・史坦，海德莉屢屢為此深感痛恨也擔心害怕。

海明威身歷戰地凶險，受過傷，當過記者。他習於站著打字寫作[3]。日常熱衷釣魚、狩獵、拳擊、鬥牛和旅行等活動，讓人看到他的多才多藝、多采多姿。海德莉認識的海明威是個謎樣的人物，「善良堅強但同時脆弱，是無可匹敵的朋友也是可惡的混蛋」、「他的作品就像他的生活一樣大膽魯莽」。

故事中，也抒寫費茲傑羅（F. S. K. Fitzgerald, 1896-1940）與他們的交往，是時，《大亨小傳》（1925）甫上市，受贈新書的海明威夫婦喜愛讚賞有加。費茲傑羅與海明威惺惺相惜，他們二人同樣受惠於柏金斯的青睞眷顧。但是，勤奮簡樸的海明威看不慣費茲傑羅夫婦的揮霍奢華。一時瑜亮，或另因費茲傑羅妻子賽爾妲和海明威向來彼此看不順眼，以致漸行漸遠。有謂，就文壇地位而言，當時是海明威高過費茲傑羅，但近年則反是[4]。

分手後，海德莉只能遠遠看著海明威迅速竄紅[5]。最後，在1961年不幸聽聞海明威自我了斷，魂歸離恨天。他進過精神療養院，死亡一直如影隨形地折磨，「可以開瓦斯、割腕、投水，但只有一個方法可行，舉槍。」際此，海德莉想回到從前的巴黎，懷念改變她一生的男人。她是無比幸運的女孩，如果，有些微遺憾應該就是，一群人的西班牙潘普隆納奔牛節之旅幻化為白紙黑字，日後稱為《旭日依舊東昇》的小說，只有她－海德莉沒有被寫進故事裡。此外，另一慚愧遺憾事，她在車上竟然遺失海明威

的手稿，然而手稿紮紮實實就是他的生命！

《我是海明威的巴黎妻子》這部有屬真實、有屬想像的小說體傳記，像一個窗口，讓我們從生動真切的文字中，窺視年輕時的海德莉與海明威的愛怨交織故事，或者是，海德莉＋海明威＋無數男女的感情故事，也就是海明威滿是戲劇性的愛情故事。

此書曾膺列亞馬遜網路書店2011年最佳圖書百大榜，美國獨立書商協會暢銷榜冠軍，報章雜誌如《紐約時報》等皆有相當好的評價。

我讀我見

事情總會有道理。

一、唐・韓愈〈雜說〉：「世有伯樂，然後有千里馬。千里馬常有，而伯樂不常有。」或謂：「伯樂一顧，其價十倍」。有柏金斯的慧眼識英雄，海明威方能揚名立萬[6]。

二、西蒙・波娃《第二性》中的一句話：「女人不是天生命定的，而是後天塑造出來的。」、「女人並不是要證明自己是個女人，女人應該被視為完整、完全的人。」在西蒙・波娃看來，女性獲得解放必須依靠以下兩個途徑：對於生育與否的自我決定權以及工作[7]。小說中的海德莉受到男性的宰制嗎？有充分的自由解放，獨立走出自己的一條路嗎？我們仔細讀、用心想。

【延伸好讀】西蒙・波娃，《第二性》3冊，邱瑞鑾譯，貓頭鷹出版（2013.10）。

注釋

1. 史考特・伯格，《天才：麥斯威爾・柏金斯與他的作家們 聯手撐起文學夢想的時代》，彭倫譯，新經典圖文出版（2016.05）。費茲傑羅是史基伯納出版社傑出編輯柏金斯發掘的第一個偉大作家，《塵世樂園》（1920）經由他的賞識而出版，及後來的《大亨小傳》亦然。

2.海明威在《春潮》批評了安德森《暗笑》這部小說，導致兩人感情破裂。《春潮》早先被一家出版社拒絕，幸而柏金斯讀後許為「鉅著」才獲得史基伯納出版社出版。海德莉認為海明威不該出書對恩人安德森諷刺諧謔，惜力勸未果。

3.妮可・克勞思，《大宅》，施清聾譯，天下遠見出版（2011.08）。其中有一句話說：「不管像歌德一樣騎在馬上，像海明威一樣站著，或像馬克吐溫一樣躺著，我都有辦法寫作。」

4.見林以亮導讀，〈費茲傑羅和《大亨小傳》〉，喬志高譯《大亨小傳》，桂冠出版（ 2013.04）。

5.1952年的《老人與海》，在翌年讓海明威獲得普立茲小說獎，更在1954年榮膺諾貝爾文學獎得主。在文本中，有關這段輝煌事蹟作者未置一詞，頗令人奇怪訝異。

6.見注1，該書關於柏金斯打造費茲傑羅、海明威等人成為偉大作家的過程有深入精彩的敘述，也可以明白「先有偉大的編輯，才有偉大的作家」的道理。

7.西蒙・波娃，《第二性》3冊，邱瑞鑾譯，貓頭鷹出版（2013.10）。西蒙・波娃，是法國作家、知識分子、存在主義哲學家、政治活動家、女權主義者、社會理論家，1970年代女權主義的重要理論家和創始人。《第二性》出版於1949年，時至今日，仍被奉為女權哲學的「聖經」。「女人不是生下來就是女人，而是被後天教育成女人」是《第二性》中重要的觀點。參見《維基百科》〈西蒙・波娃〉、〈第二性〉與英國 DK 出版社，《哲學百科》，康婧譯，日月文化出版（2017.07）。

好好過生活，才不至於老來悔憾

——往事不曾離去

書名：往事不曾離去（*Past Imperfect*）　454 面；21 公分

著者：朱利安・費羅斯（Julian Fellowes）

譯者：宋瑛堂

新經典圖文出版（2014.05）

> 我們這個社會說來很奇怪，總是選擇性選擇要相信什麼，或是准許大家相信什麼。
>
> ～法蘭西絲卡・凱伊《聖堂的獻祭》

這是一部代友尋子為主軸的小說，兼及諸種世代落差的描繪。文本主角「我」，因為無法拒絕已是風中殘燭的德米安的要求，開始一段探訪「德米安的過去，也是我自己的過去」的旅程。有了秩序才有平靜，一旦打開潘朵拉的盒子（Pandora's box）之後，原本寧靜的世界開始動盪不安起來。故事就從19年前收到一封署名「傻瓜」，語焉不詳，曖昧暗喻的信展開。研讀這封早年的來信內容，讓他們二人推定德米安有一個孩子在世，可也不

知道母親究竟是誰。

1968年德米安與「我」，都是18、19歲的大學生，頻於參加名媛舞會。德米安在女友席琳娜眼中的評價是：「你是憤怒青年，而憤怒的人通常不是氣炸了自毀，就是成就大事業。」德米安工於心計、野心勃勃、亦是獵艷高手，日後果然富可敵國。而「我」僅是他身旁的小矮人，用來把他襯托得更高大而已。兩人關係的惡化和終止聯繫，始於1970年男男女女一群人赴葡萄牙度假旅遊的一場夜宴之後。烏煙瘴氣的那一夜宴，是「我」一生最慘痛的記憶。不歡而散各奔前程，近40年不曾互通訊息，某日德米安突然寫一封信給「我」，邀往豪宅作客一敘。此時的「我」僅是位小有成就的寫作家，德米安雖然不義，但「我」不記舊仇。

病入膏肓氣息奄奄的德米安的邀請是別有用意的，他想要在翹辮子之前，叫「我」幫尋他那已長大成人的孩子，再把豐厚的財產遺留給他。首先，當然得先查出因他而懷孕的女人，而這等同挖掘追溯塵封往事，讓舊恨再次被燃起。德米安給了一份當年「可能」懷孕的女人名單，「我」百般不願地接下這一既棘手又尷尬的任務。名單中眾多的女人當然都是舊識，而「我」魂牽夢縈的最愛竟然也名列其中，因此更添恨意了。不過，「我」重然諾，仍千里奔波照單逐一查訪，在山窮水盡時，竟是峰迴路轉，真相赫然浮現。一個萬萬料想不到的答案。

文本跨越40年（1968-2008）時空，間有著極大的價值觀落差，作者觀察銳利洞悉議題，平實深入相互對照且鉅細靡遺地寫盡英國民風思潮的變遷起落與上流社會百態千樣，刻劃出的豐盈景色令人目不暇給，情節懸疑鋪陳曲折，張力十足。書中，亦處處彰顯人們要學會包容與諒解和放下。

讀這本小說時，心中掀起陣陣迴盪，腦海不時浮現書聖晉・王羲之〈蘭亭集序〉:「向（昔）之所欣，俛（俯）仰之間，已為陳跡。」、「後之視今，亦猶今之視昔，悲乎！……雖世殊事異，所以興懷，其致一也。」情隨事遷，讓人感慨係之，不能自已。

這是一部被視為具有朱利安・費羅斯自傳色彩的精彩小說，業界譽之為英國深情版的《大亨小傳》。朱利安・費羅斯，1949年出生於埃及開羅，為英國大師級編劇、導演、演員、製片人。他編劇的作品都廣獲好評，其中《高斯福德莊園》與《唐頓莊園》得有最佳編劇獎項的光環，另如叫好又叫座的電影《鐵達尼號》劇本亦是出自朱利安・費羅斯之手[1]。

我讀我見

誰知未來會發生什麼。

一、40 年後，回首前塵往事，除了慨歎歲月不會饒過任何人，只是用的方法不同外，我們會是快然自足？還是悔恨交加？人們經常有永無止盡的追逐、壓力和焦慮與煩惱，在價值觀遽變的時代，我們很少能敞開胸懷冷靜下來，「以一種新的眼光，重新認識自己」，做一個堅強獨立的「真我」（true self）。蓋・芬利《放下的秘密》，提供了人們暗黑煩擾生活中的一盞明燈[2]。

二、行將走到人生盡頭的德米安，借著「我」找到自己的骨肉，也確認了畢生的真愛，因此走得安詳。反之，王定國《敵人的櫻花》[3]中的「我」，則是參不透愛恨，執著枯等因外遇而離家出走的愛妻回來，糾結地活在愛的悲劇中。「一個悲劇竟然是從喜悅中醞釀出來的」，這是被命運捉弄了？

三、描述一個人間仙境，世外桃源的詹姆士・希爾頓《失去的地平線》[4]，當中康威、馬里森二人最終仍然選擇離開該地，這是不是隱喻人必定要活在七情六慾相互糾纏的塵世裡？因而，古羅馬時代一位先哲說：「好好過生活，才不至於老來害怕回憶。」就是對我們很重要的提醒了。

【延伸好讀】詹姆士・希爾頓（James Hilton），《失去的地平線》（*Lost Horizon*），陳蒼多譯，新雨出版，204面；22公分（2006.01）。

注釋

1.參見《百度百科》〈朱利安・費羅斯〉。

2.蓋・芬利，(Guy Finley)《放下的秘密》，蕭寶森譯，新星球出版（2015.06）。您是自己靈魂的主人，用一種新的正面眼光來認識你自己，放下煩憂不樂，斷絕名韁利鎖，就可以獲得新的力量，新的生命。

3.王定國，《敵人的櫻花》，印刻文學出版（2015.09）。王定國（1955-）出生臺灣彰化，既是企業家，也是作家。其作品（長篇小說、中短篇小說、散文等）豐碩，得有甚多獎項，深受肯定。詳見《維基百科》〈王定國〉。

4.詹姆士・希爾頓（James Hilton），《失去的地平線》（*Lost Horizon*），陳蒼多譯，新雨出版（2006.01）。香格里拉（Shangri-La）一詞，就是出自此書，意指世外桃源，為一有東方神秘色彩，祥和長壽的理想國度，位處西藏可以眺望喀拉卡爾山的一座山谷，又稱藍月谷。小說中，因飛機失事而走入「香格里拉」的4個人，到最後有人留下來，有人選擇離開。這是一部奇幻小說。

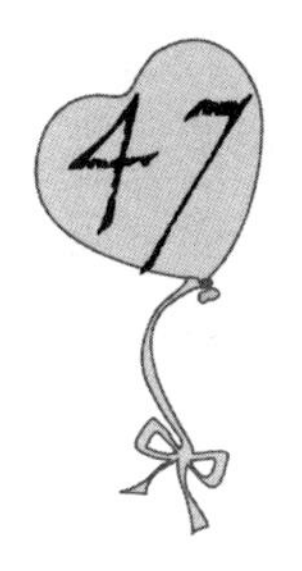

失之東隅，收之桑榆

——穆罕默德的花園

書名：穆罕默德的花園（*The Submission*） 352面；17公分
著者：艾米・沃德曼（Amy Waldman）
譯者：宋瑛堂
漫遊者文化出版（2015.09）

> 考慮清楚你想當什麼樣的人，自問你想當的那個人會怎麼做。然後就那樣去做。
>
> ～凡尼爾・凱曼《F》

1980年21歲的華裔美人林瓔（Maya Ying Lin）參加越戰紀念碑設計競稿，在1,000多件作品中獨占鰲頭，但她的亞裔身分是一個敏感問題，曾受到種族主義分子和一些越戰老兵的抵制抗議，以致在1982年紀念碑揭幕儀式，人們甚至都沒提到她的名字[1]。文本《穆罕默德的花園》似乎就是林瓔事件的重演，一個藉著興建「九一一」紀念館導引出身分認同的反省小說。

「欣賞作品應該看作品本身，不能看創作人」，是這部小說想要傳遞的一項非常重要的理念。當「九一一」紀念館設計圖競稿評審揭曉，脫穎而出的是《花園》，教人難以置信又震撼的是，設計者有一個穆斯林的名字－穆罕默德・可汗，讓評審會主席保羅和委員們陷入困境。因為，發動「九一一」攻擊的是穆斯林，是尋求一死升天的烈士，那麼這座紀念館《花園》的用意，是安撫大家、療癒民心的美麗花園，抑或是做為穆斯林烈士的天堂？外界會因設計者是穆斯林，而把它想成穆斯林烈士的天堂，勢必引發群情激憤，家屬的傷口也將二次撕裂更難癒合。原本大力支持《花園》的受害者家屬代表克萊兒立場開始鬆動，甚至隨著保羅遊說勸退穆罕默德・可汗。

事實上，隱名競稿者穆罕默德・可汗根本算不上穆斯林，穆是百分之百的美國人，並沒有信奉伊斯蘭教。他的信念使他絕不接受修改或更動原來的設計圖，遑論要他退出。他為自己的合法權益力爭，過程中，除了評審之外，傷痛的亡者家屬、政客型的州長、嗜血的媒體、別有所圖的社運人士等均因著個別利益的考量，各懷鬼胎地捲入其中。甚且不幸發生來自孟加拉的阿絲瑪因為在公聽會替穆仗義執言，遭人捅了一刀而命喪黃泉。

穆罕默德終究勢單力孤，不敵反對的聲浪，不得不黯然引退，倉皇逃離美國回到印度。幸運的是，紀念館事件反而為他開啟了世界大門，開始學習伊斯蘭建築，開創出一片天地，成就遠遠超出他自己的夢想，設計的建築廣見於中東、印度或中國各地。他的輝煌成就，替他自己贏得「美國建築大師」的美譽，這倒是應合了「失之東隅，收之桑榆」這句老話了。只是回想往事，不禁滿懷惱恨，就像似札在背上的一根刺。

小說末尾，作者巧妙安排一對年輕學生情侶，在競稿風波將屆20年之際前往印度孟買專訪年近60的穆罕默德。他們先前已訪問到該訪問的人，就是獨缺穆的觀點，他的心路歷程。這一章節的描述，替這部小說的人與事作了回顧交代，我們聽到穆罕默德的衷心話語，包括如能重來會想改變什麼、為什麼離開美國、令他心痛的有哪一些人、希望世人承認當年對他不義、想要獲得道歉。此外，克萊兒在錄影訪問中透露自己立場反覆的苦衷、對穆處事的評論，以及對《花園》的念念不忘，因為當初它讓克萊兒一見傾心，視為遇害丈夫加爾永世樂觀的象徵。幾何線條嚴謹的《花園》沒有在紐約世貿舊址實現，反之，穆罕默德應某個蘇丹王的邀請，蓋了一座《花園》－私人休憩花園，只是原本設計的牆上死者名單變了，鋼樹也變顛倒了。克萊兒在錄影帶看到更動過的《花園》，心中感受到，這不是禮物而是奚落，且隱含某種訊息。

這部小說，讓我們再次看到美國雖然號稱種族大熔爐，但「非吾族類，其心必異」，在利害關鍵時刻，則是強烈的種族主義色彩充斥，對其他族裔不信任，甚至歧視排斥迫害。例如，第二次世界大戰末期，日本偷襲珍珠港事件發生後，美國為防範日裔美人成為日本間諜違害安全，在西部數州設立了10所集中營，強制將約11萬名日裔美人隔離控管[2]。可見移民歸化，求取認同融入實在是一段艱辛的過程，而且看不到終點。雖然如此，文本還是要一再強調身分絕對不是原罪。

作者艾米・沃德曼是前《紐約時報》記者、《大西洋月刊》特派員，《穆罕默德的花園》是他的第一部歷史小說。此書備受好評與肯定，如美國國家公共廣播電台「年度十大小說」、亞馬遜書店「年度十大首作」暨「年度百大好書」《紐約時報》2011年「年度最受矚目好書」與《華盛頓郵報》「年度矚目好書」。國內，有一篇國科會研究報告〈後九一一歷史小說研究：真相、記憶與身份認同〉，文內也將此書作為研討對象[3]。

我讀我見

歷史不能被改寫。

一、身分與認同、堅持或放手、就此作罷抑另闢蹊徑，是文本中穆罕默德糾纏不已的懸念，他反思、沉思，最後「雲淡風輕近午天，傍花隨柳過前川。[4]」走出自己的一條大道，完成自己的畢生志業。誠如泰居・柯爾《不設防的城市》說的：「你必須替自己設立一項挑戰，然後想辦法去完美達成，不管是跳傘、懸崖跳水，又或者靜坐一整個小時；當然，你還得以一種美好姿態去完成。[5]」。

二、偏狹的種族主義為眾多的人種間劃下一道萬丈鴻溝，紛爭戰亂由此而起，永無安寧之日。這難道是人類千古不易的宿命？經由了解、理解，善解，進而和解，應該是彼此秉持耐心攜手努力的不二法門。

【延伸好讀】泰居・柯爾（Teju Cole），《不設防的城市》楊馨慧譯，遠流出版，317面；21公分（2013.07）。

注釋

1.美國華盛頓越戰紀念碑有三個主體，林瓔設計的「越南退伍軍人紀念牆」為其一，憑弔者絡繹不絕，成了著名景點。見《維基百科》〈越戰紀念碑〉〈林瓔〉。36年後，林瓔以設計越戰紀念碑，於2016年獲頒象徵美國最高平民榮譽的自由獎章。詳見〈林徽音姪女獲美自由獎章〉聯合報（國際 A12，2016.11.24）。

2.引自泰居・柯爾（Teju Cole），《不設防的城市》，楊馨慧譯，遠流出版（2013.07）。「城市敞開了大門，任何人都能來去自如，我在城市中漫步，卻不知道該在何處停留……」住在紐約的年輕的奈及利亞裔醫生朱利亞斯，懷疑自己是否屬於這個城市，按壓不住自己的孤獨，於是展開一趟旅行來到布魯塞爾，見識到不同文化的世界，同時，他也回憶起童年時待過的奈及利亞。這是一部「一個精神科醫師的意識漂流記事」，哲思散文式小說。此書深獲好評，2011、2012年眾多媒體皆列為年度好書，獲2012年海明威基金會／筆會小說類傑出新人獎。

3.廖培真，〈後九一一歷史小說研究：真相、記憶與身份認同〉， 成功大學 外國語文學系2016。
http://ir.lib.ncku.edu.tw/handle/987654321/175883。

4.出自宋・程顥〈春日偶成〉：「雲淡風輕近午天，傍花隨柳過前川；時人不識余心樂，將謂偷閒學少年。」

5.同注2。

人生由他非由命

——大亨小傳

書名：大亨小傳（*The Great Gatsby*）　201 面；21 公分

著者：費滋傑羅（F. Scott Fitzgerald）

譯者：喬志高

桂冠出版（1993.05）

> 巴斯卡（B. Pascal）：宇宙藉由空間抓住了我，我就像塵埃被它一口吞下。但透過思想，我抓住了整個宇宙。
>
> ～史考特‧薩繆森《在生命最深處遇見哲學》

著名的美國小說家費滋傑羅（1896-1940）英年早逝，令人惋惜他只活了44個年頭。1925年出版的小說《大亨小傳》[1]，當時叫好不叫座。《大亨小傳》受到廣大注目備受推崇，暢銷長紅聲名鵲起，卻是在他辭世過後，「千秋萬歲名，寂寞身後事」應是最佳的寫照。此書後來被奉為世界經典名著，高中和大學文學課程的必讀小說，時代周刊選列為二十世紀百大英文小說。

這部具有悲劇和批判味道的小說，其景其情宛若「繁華事散逐香塵，流水無情草自春。日暮東風怨啼鳥，落花猶似墜樓人。[2]」的意境，弦斷曲終人散盡，令人為之感傷悵惘悲切沉思清醒警惕。它是以1920年代美國的紐約為背景，述說當時人人懷抱美國夢，也耽溺在「爵士年代」[3]靡麗奢華、紙醉金迷、燈紅酒綠、釧動釵飛的頹廢風潮，同時引來道德墮落、悲劇發生。藉著刻畫人物、描繪時代，揭露社會醜陋現實，美國夢崩毀無限淒涼；棒喝塵世夢幻中人，返璞歸真。其文字的穿透力，讓它跨時空成為代代的經典，人人必讀的一本哲思小說。

小說借著主述者尼克，說出蓋茲璧悲劇性的人生故事。身處奢華的美國爵士時代，來自美西鄉下的蓋茲璧奮力追逐物質財富，更想重燃過去刻骨銘心的美好戀情。他靠著難以攤在陽光下的行業發財，但有了財富之後也得講究出身門第，於是竄改身世、更姓易名、偽稱牛津大學學歷……，為的是能夠改頭換面，躋身上流社會。他，自視是天之驕子，32歲模樣，風度翩翩且帶著神秘色彩的富商大賈。住家宅第如瓊臺玉閣，精美華麗，三日一小宴、五日一大宴，賓客摩肩接踵，繡衣朱履，急管繁絃，觥籌交錯。他，每每遙望海灣對岸碼頭上，又小又遠的一盞綠燈而出神，這是他希望寄託之所在。這些作為，為的是想和分手相思將近5年的黛西重溫舊夢，再續前緣，雖然黛西早已嫁了一位有錢的體育家湯姆。

結果？可惜，他被最親密的人背叛了。一個青春輕狂的夢想破碎一地，甚至付出無比的代價—蒙冤喪命，蓋次璧死在為妻復仇的韋爾生槍下。夢斷黃粱，一朝死於非命，「死得可憐」令人不勝唏噓悵嘆。「人去茶涼，熄燈走人」，庭園也變得寥落荒蕪。

相對於蓋茲璧的浪漫執著，畢業自常春藤盟校的尼克則是一個冷靜理性的旁觀者，離鄉背井來到紐約做股票生意。原先，他對蓋茲璧這位神秘的富有鄰居抱著不以為然和懷疑的態度，但漸漸地他能夠接納信任敬重蓋茲璧，但看不起黛西、湯姆的膚淺市儈與虛偽。蓋茲璧的喪事，他義不容辭一肩挑，只是沒人願來參加，場面淒清冷落至極。他說：「我自己似乎又在裡邊又在外邊，對這幕人生悲喜劇無窮的演變，又是陶醉又是噁心。」最終，尼克看盡世態炎涼，人情勢利，攀貴疏貧。他厭倦了紐約人奢華和頹廢的生活方式，選擇離開，回到中西部的老家。甚至，有個還談得來的女友－爾夫球選手喬登，他都不要了。他已然參透，諺語：「世情看冷暖，人面逐高低。」的意思了。

小說中的兩位要角蓋茲璧與尼克身上，多多少少皆有著費滋傑羅的投影，有自我寫照的意味。「在每一篇故事裡，都有一滴我在內－不是血、不是淚、不是精華，而是更親密的自己，真正擠出來的。」他如是說。真切又感動人心肺腑的一句話。此外，本書附有林以亮〈費滋傑羅和「大亨小傳」〉一篇長文，深入解析評述作者事跡和小說內容，有助我們了解主題重點，值得先睹為快。

我讀我見

我就是歷史的一部分。

一、小說的最後一句話：「於是我們繼續往前掙扎，像逆流中的扁舟，被浪頭不斷地向後推。[4]」人生有時酣暢快意，有時困頓乖蹇，但最怕的是懷憂喪志，一蹶不起。「內心價值受到頓挫，有多少人能慧劍一揮？[5]」我們知道宋朝詞人李清照或是明代書畫家唐寅是如何面對橫逆，創造一己不朽的功業的嗎？。

二、癡情的蓋茲璧對羅敷有夫的黛西依然深情似海，猶不死心，甚至代她受過，莫名地將自己推向不測之淵。在旁人看來是愛得盲目缺理智、死得無辜不值得，然而這就是蓋茲璧的浪漫執著與內心追尋－黛西乃是心目中的唯一真愛，卻也突顯出人生的荒謬和真實。是否，人生由他非由命？或許，蓋茲璧天生就是一個為實現夢想勇往直前的無可藥救的浪漫主義者！

【延伸好讀】王浩一，《英雄的頓挫學：王浩一的歷史筆記【肆】》，漫遊者文化出版，327面；23公分（2014.12）。

注釋

1.費滋傑羅接受天才編輯柏金斯的建議，就《大亨小傳》原稿的部分章節進行修改，包含蓋茲壁的身世。早先，其處女作《塵世樂園》（1920）銷售勢如破竹，一舉成名，亦是受惠於柏金斯的青睞。此外，柏金斯對於經常陷於金錢「週轉不靈」的費滋傑羅，幫忙很大，像似一位善心的放款人。參見史考特‧伯格，《天才：麥斯威爾‧柏金斯與他的作家們聯手撐起文學夢想的時代》，彭倫譯，新經典圖文出版（2016.05）。

2.出自唐‧杜牧〈金谷園〉。觸景情傷，弔古追懷之作。

3.美國夢（American Dream）源於英國殖民時期，發展於十九世紀，相信只要經過努力不懈的奮鬥便能在美國獲致更好生活。爵士年代（Jazz Age），指1918年一戰結束後至1929年美國經濟大蕭條時期，當時爵士樂與舞蹈在美國地區逐漸受到歡迎。它亦指一個自由奔放，紙醉金迷，追求享樂的年代，也代表社會奢華和道德頹廢的年代。詳見《維基百科》〈美國夢〉、〈爵士年代〉。

4.此一段話：So we beat on,boats against the current,borne back ceaselessly into the past.成了墓誌銘，鏤刻在費滋傑羅與妻子賽爾妲的墳墓碑石上。

5.王浩一，《英雄的頓挫學：王浩一的歷史筆記【肆】》，漫遊者文化出版（2014.12）。這本書別出心裁地精彩描述了陳永華、唐寅、孟郊、于謙、岳飛、史浩、李清照、文天祥和耶律楚材等九位英雄的處世哲學。

仇恨來自歧視，和諧出自寬恕

——永遠的杏仁樹

書名：永遠的杏仁樹（*The Almond Tree*）　351 面；21 公分
著者：蜜雪兒・柯恩・科拉桑堤（Michelle Cohen Corasanti）
譯者：謝靜雯
臉譜出版（2015.05）

> 兩種情緒令我不知所措：一是遺憾，世上沒有任何事情永恆不變；二是負擔，先前承受的壓力，如今更是無比沉重。
>
> ～妮可・克勞斯《大宅》

歷史上，猶太人數度掀起回歸以色列浪潮。似乎，世上絕大多數人都同情猶太人，尤其第二次世界大戰納粹德國令人髮指的「猶太人問題的最終解決方案」，更是舉世撻伐。1948年，猶太人透過西方列強的支持，終於復國回歸被趕出之地[1]，建立一個只有猶太人的以色列國。然而，在過去屬於巴勒斯坦人的土地上，猶太人建國過程中的血腥暴戾行徑好像被人忽略了。

這一部以以巴衝突為背景，從巴勒斯坦人的觀點出發書寫的恩仇錄，告訴我們以色列人做了那一些讓巴勒斯坦人痛苦萬分的事。書中主角阿赫瑪的侄兒卡里德沉痛的說：「以色列對我族人犯下的罪過，罄竹難書，他們不只壓迫我們，也說服全世界相信他們才是受害者。」更說：「以色列控制了我們的未來。」這些話語，的確是值得吾人從另一角度去省思以巴衝突問題的根由。雖說仇恨會讓人盲目，以致看不到世界上還有愛與美善，但是文本中的阿赫瑪和父親，曾受盡以色列人的折磨屈辱，卻是努力「勇於夢想和平」，他們不記仇恨而原諒對方，一心想為這個紛爭頻仍的世界帶來和平希望的曙光。

阿赫瑪與父母和弟妹們，一再遭到以色列軍人的驅趕，全家過得艱辛困苦。簡陋房子旁的杏仁樹是一家人重要的精神支柱、杏仁果是重要的糧食。目睹妹妹艾瑪兒誤觸地雷而亡的慘狀，父親被誤認為叛亂份子而受到痛毆，並判刑十四年，家計重擔就落在阿赫瑪身上，好不容易找到工作卻頻受歧視。但是面對苦難，具有卓越數學天分的阿赫瑪喜歡閱讀跟思考，崇拜的是猶太人科學家愛因斯坦。

在莫哈馬德老師的關照支持與獄中父親的諄諄教誨下，窮困的他不放棄求學的機會，不背棄自己的天賦，「教育是我的出路；正因為教育，我才能跳脫自己的處境。」獲得進入大學研讀，卻碰上鄙視阿拉伯人的物理學教授夏隆，開始時受盡刁難羞辱誣控，後來以獨特的學識見解獲得賞識而成為其得力助手，就此逐步開啟非凡出眾的一生。

弟弟阿巴斯小時，在工地遭人故意從鷹架上推落，終身跛腳不良於行，自此埋下仇恨以色列人的種子，與猶太人有不共戴天之仇。他憤恨哥哥與猶太人來往、談戀愛、一起工作，認為哥哥與敵人同一陣線，於是走上一條跟阿赫瑪完全不同的道路—離開老家潛進加薩，從事對以色列的激烈抗爭運動。不幸的是，兒子卡里德也因以色列的阻撓，沒法取得簽證到美國念書進修，憤恨之下鋌而走險充當人肉炸彈，壯烈犧牲。

兒子卡里德的死，會讓阿巴斯放棄仇恨嗎？阿赫瑪與阿巴斯兩兄弟會前嫌盡棄歡喜團圓嗎？

作者藉著夏隆與阿赫瑪攜手合作達四十年，終於獲得諾貝爾獎，可以成為以色列人、巴勒斯坦人，甚至世界上其他族裔的學習典範事例，來強調惟有族群間融合平等，才有和平的願景。以巴衝突的解決，或就如夏隆所說的：「歷史證明，一個民族無法在犧牲另一個民族的情況下，獲得安全保障。在巴勒斯坦原有的土地上建立一個世俗的民主國家，所有的公民不管宗教信念如何，都可以享有平等的權利；只有如此，那裡才能有真正和平。……。」

這部勵志小說，也可以說是阿拉伯裔阿赫瑪7歲到61歲可歌可泣的成長史。情節有著轉折起伏引人興趣、讓人哀傷，令人感動，而且閱讀中「鏡像」（mirror image）了小說中個體的行為，在思想與感覺激起吾人強烈的共鳴。此外，1948年就是以色列人稱之為「獨立戰爭」年，阿拉伯人稱之為「大災難」年，作者似以此暗示阿赫瑪的誕生，即是災難的開始，從而阿以雙方引發5次中東戰爭（或稱阿以戰爭、以阿戰爭）[2]的史實，也是一項很巧妙有心的安排。

令人感興趣的是，此書作者出生在猶太家庭，而不是巴勒斯坦人。她畢業於哈佛大學，高中時在以色列度過一段日子，體驗了以色列和巴勒斯坦的真實狀況。這一段回憶一直藏在她的心裡，後來受到丈夫的鼓勵，她才將這段醞釀了20年之久的故事轉化成文字，公諸於世。出版後，獲得不少佳評讚譽。

我讀我見

有時需要吃點苦。

一、阿赫瑪與父親，外在表現出寬容忍讓，內心懷抱著理想希望，為的是想讓自己活得更好、想讓族群和平共處。他們二位奉行的，就像羅傑・康納斯與湯姆・史密斯《從自己做起，我就是力量》[3]提到的，別扮演被害者，努力讓理想和希望成真，時時不斷提醒自己在人生多走一哩路。文本最後，父親在酷刑中存活下來，阿赫瑪造就了一己偉大的學術成就，更有能力鼓勵資助族人上大學，並獻身追求和平。

二、阿赫瑪歷經以色列人無情的壓迫，甚至妻子諾拉亦遭冷血謀殺，但是他謹記父親之言：「找出他仇恨的動力，嘗試去理解。」不讓恨意成為絆腳石，設身處地為猶太人「我們需要有屬於自己的國土」的理念想想，深知唯有雙方和諧共存，才能同享美好的未來，否則鬥爭殺戮將是沒完沒了。國際間的關係如此，人際間的關係不也如此？

【延伸好讀】羅傑・康納斯與湯姆・史密斯（Roger Connors & Tom Smith），《從自己做起，我就是力量：善用「當責」新哲學，重新定義你的生活態度》，洪世民譯，經濟新潮社出版，203面；21公分（2015.05）。

注釋

1.從西元前1050年開始，猶太人王朝在這一地區存在了414年，後來王國分裂為二。西元前六世紀時起，經歷過亞述、巴比倫、波斯、希臘、羅馬、拜占庭等古國的統治，猶太人在這一地區逐漸衰落並遭驅逐。尤其是在132年的一次大規模起義失敗後，羅馬帝國將猶太人驅逐出這一地區，將地名改為「敘利亞－巴勒斯坦」。見《維基百科》〈以色列〉。

2.1947年，聯合國大會通過「聯大181號決議案」決議（33票贊成，13票反對，10票棄權），規定在巴勒斯坦建立阿拉伯和以色列兩個獨立的國家，決議文規定把巴勒斯坦在約旦河以西地區總面積的57%劃給占32%人口的猶太人。猶太人同意此決議，1948年成立以色列國，阿拉伯人強烈反對該決議，因而發生5次阿以戰爭。見《維基百科》〈中東戰爭〉。

3.羅傑・康納斯與湯姆・史密斯（Roger Connors & Tom Smith），《從自己做起，我就是力量：善用「當責」新哲學，重新定義你的生活態度》，洪世民譯，經濟新潮社出版（2015.05）。您是自己靈魂的主人，「成功的力量，一直都在你身上」，作者以《綠野仙蹤》（*The Wizard of Oz*，或譯為《奧茲國歷險記》）當中角色代表的特質，如力量、智慧、熱忱和勇氣，歸納出「奧茲智慧與法則」，用以突破環境限制，成為自己的主人，完成夢想。此書文字淺顯，比喻巧妙，深具鼓舞振作的力量。

渴望有人來愛我

——科學怪人：另一個普羅米修斯

書名：科學怪人：另一個普羅米修斯（*Frankenstein, or the Modern Prometheus*） 254 面；21 公分

著者：瑪麗・雪萊（Mary Shelley）

譯者：范穎

遠流出版（2014.02）

> 寧可在你身後只有一篇不光彩的墓誌銘，也不要在你生前遭到他們不留情面的評論。
>
> ～莎士比亞《哈姆萊特》

雙親是文壇顯赫之士，丈夫是著名浪漫主義詩人珀西・雪萊（Percy Bysshe Shelley, 1792-1822）的瑪莉・雪萊（1797-1851），年僅21歲時出版了《科學怪人》（1818），一如她的丈夫的期許殷望，果然以此書震古鑠今留名青史，迄今傳頌不絕。這部小說曾經數次改編並成為多部電影的原型，瑪莉・雪萊就此被尊為科幻恐怖小說的祖師爺（奶奶？）。書中主角的姓氏 Frankenstein 也成了具有專門意義的字眼，如今這個字同時用來指涉創造者及被造者[1]。

作者以倒述的方式，承襲哥德小說（Gothic fiction 或 Gothic horror）[2]的手法，說寫超自然、驚悚、死亡的故事。揭開故事序幕的是北極探險船領隊沃爾登，他在酷寒的冰洋救起奄奄一息的法蘭肯斯坦，後者陸陸續續說出一則駭人聽聞的往事，他目睹法蘭肯斯坦嚥下最後一口氣；另也親聞能言善辯的「怪物」在遺體旁一番既是辯解又似悔恨的告白，爾後眼看「怪物」跳上冰筏消失在茫茫無邊的黑夜之中。沃爾登驚懼之餘，記錄下這一段悲愴又恐怖的故事的始末並公諸於世。

來自日內瓦的法蘭肯斯坦家世優越，到外地大學讀書時就酷愛自然科學，也對生命科學發生濃厚興趣，「人是多麼了不起的一件傑作」，竭力探索更多未知的力量和生命的奧秘，開始研究生命誕生的起源以及腐敗過程。他終於研發出「人造人」的技術，但是其製作過程令人作嘔。他製作出來的人（沒有名字，僅稱「怪物」或「惡魔」），形體高大笨拙、面貌猙獰醜陋、眼睛蠟黃浮腫、皮膚乾癟失色，令人望而生懼，心生厭惡。見此景像，法蘭肯斯坦至感後悔並決定甩棄「怪物」，然而無親無故的「怪物」卻如影隨形糾纏著他。從此，「怪物」口中：「千刀萬剮的創造者」的法蘭肯斯坦，失去燦爛笑容，天地間宛若一座煉獄，終日膽戰心驚幾近癲狂。

如果法蘭肯斯坦給予溫馨照顧，心地良善、渴望得到關心愛護的「怪物」或者不會走極端。事實是，連一個願意同情或支持他的人都沒有，有的僅是人類的歧視和辱罵。歧視與仇恨是連體嬰。仇恨完全塞滿「怪物」的心靈，從而就「性善」進化「性惡」，他展開報復，先掐死法蘭肯斯坦之弟，並嫁禍他人。接著，在法蘭肯斯坦毀諾不願意再製造一個同樣醜陋的女人一起過活之後，下定決心狠幹到底，不再乞求他人的仁慈來過活，也不對自己的敵人慈悲。於是，連串痛徹心扉，令人崩潰的命案，就一幕幕呈現在法蘭肯斯坦眼前。他的境遇就像是「開砲的給自己砲彈轟了」，不僅家破人亡、友人遇害、理想墜毀，甚至連自己想為家人報仇雪恨都功虧一簣，還敗亡在狡猾刁鑽的「怪物」手上。

約瑟夫・馬祖爾（Joseph Mazur）：「 閱讀通常既是一種認知的活動，也是一種情感的活動。[3]」誠然，閱讀旅程中吾人雖然不能苟同「怪物」的惡劣作為，但在情感上卻有相當程度是同情他。既然他已被「生」下來，應該沒有理由遭到歧視和惡性遺棄。「怪物」的殺戮復仇作為，是被外在環境逼迫出來的。我們可以設想，他如果是「高顏值」的濁世翩翩美男子，那麼其境況諒必有天壤之別？我們這個社會終究是以貌取人的吧！

書中附有作者於1831年寫的改版序，交代了構思書寫的緣起和暗夜中腦海倏然浮現出「怪物」的恐怖形貌，「一股恐懼地戰慄傳遍全身」嚇得自己睜開眼的過程。此外，還有一篇珀西・雪萊1818年執筆的「代序」，可以讀出他保護瑪莉・雪萊的用心。因為深恐該書「怪物」主題會引起當時保守社會爭議批判，所以出版時係以匿名行之，而「代序」的行文語氣顯現他就是本書的作者。幸好，甫一問世就以書中人物的特殊塑造與情節的鋪排，震懾閱者的感官與心絃而大受歡迎，顯然珀西・雪萊的顧慮是多餘的了。

瑪莉・雪萊是英國著名小說家、短篇作家、劇作家、隨筆家、傳記作家及旅遊作家。大部份人認識瑪麗·雪萊，是因為她的第一部小說《科學怪人》及幫助丈夫（珀西・雪萊是歷史上最出色的英語詩人之一。喪生於1822年的一次船難，得年僅29歲）出書。今年（2018）恰是此部小說面世二百周年，然而《科學怪人》依然被廣泛閱讀，為許多戲劇和改編電影提供靈感[4]。

我讀我見

別丟了本性。

一、文本中的「怪物」就像是社會邊緣人般地孤單無助，得不到同情和憐憫，因此要求法蘭肯斯坦幫他造一個同樣醜陋的女人一起過活，用來「交換」以後不再傷害人類並遠離人類。在這裡，顯示個體與個體藉由「交換」來滿足各自的需求，是社會中必然存有的現象，但必需符合公平，否則就是不平等。由是，為何要交換？自私自利是交換的動力？人類可以活在沒有交換的社會嗎？交換有助和平嗎？……，法國高中生哲學讀本《政府是人民的主人還是僕人？：探討政治的哲學之路》[5] 第三章〈交換〉值得我們精讀、驗證和反思。

二、科學不能冒犯道德與倫理，違反自然法則，當也是文本意欲傳達的一項訊息。人總是希望自己能長生不老，再不然也要能活得久一點，於是科學家們抱著「人定勝天」的想法，例如埋首胚胎幹細胞、器官移植研究等，以期創造新生命。但這些有部分一向是爭議已久的嚴肅課題[6]，我們能怎麼辦？

【延伸好讀】約瑟夫・馬祖爾，《啟蒙的符號：數學符號的誕生、演化和隱藏的力量》，洪萬生譯，城邦文化出版，345面；21公分（2015.06）。

注釋

1.書名副標題的普羅米修斯（Prometheus）是希臘神話中的神祇之一，與智慧女神雅典娜共同創造了人類，也幫人類從奧林帕斯偷取了火，因而觸怒天神宙斯。詳見《維基百科》〈普羅米修斯〉。在此，意指法蘭肯斯坦就如普羅米修斯，是一位創造者、造物者。

2.開始於十八世紀的英語文學流派。哥德小說顯著的元素包括恐怖、神秘、超自然、厄運、死亡、頹廢、住著幽靈的老房子、癲狂、家族詛咒、吸血鬼、狼人等。我們熟悉的世界文學名著，艾蜜莉・珍・勃朗特（Emily Jane Brontë, 1818-1848）《咆哮山莊》（*Wuthering Heights*），亦為哥德小說的代表作之一。參見《維基百科》〈哥德小說〉。

3.約瑟夫・馬祖爾，《啟蒙的符號：數學符號的誕生、演化和隱藏的力量》，洪萬生譯，城邦文化出版（2015.06）。作者馬祖爾是著名數學科普作家。我們或會思索數學符號怎麼來的？沒有數學符號的世界是什麼樣子？這一部符號簡史，敘述了「數學符號系統發展背後引人入勝的故事，說明符號剛開始是如何被運用的，一個符號如何逐漸取代另一個符號，最終成為獨立而放諸四海皆準的語言系統。」數學的語言只有一種，所有用到數學的人都是使用同樣的語言，我們或許看不懂文字，但看得懂數學符號，例如＋　－　×÷　＝

≦ ≧ ≠ ∞等等，因此對於數學語言符號化的演進就值得去了解了。

4.引自《維基百科》〈瑪莉・雪萊〉。

5.侯貝（Blanche Robert）等，《政府是人民的主人還是僕人？：探討政治的哲學之路》，廖健苡譯，大家出版（2016.05）。

6.有關運用「體細胞核轉植技術」（somatic cell nuclear transfer, SCNT）複製哺乳類胚胎，參見〈複製羊20周年－為何還沒複製人〉，聯合報（國際小學堂，2016.07.16）。另有一篇文章也指出，「……，人類的科學發明又如何不會毀滅人類？這些議題隨著人工生命、基因改造、機器人等的出現愈形重要。」見林中斌，〈妙齡女創造科學怪人〉，聯合報（名人堂，A15，民意論壇2018.08.29）。

附錄

附錄

非詩非詞非歌非賦集

──自愚自愉自娛十六首

山近月遠覺月小，便道此山大於月。若人有眼大如天，當見山高月更闊。

～明・王陽明〈蔽月山房〉

移舟泊煙渚，日暮客愁新。野曠天低樹，江清月近人。

～唐・孟浩然〈宿建德江〉

一、帽子山的呢喃

聳翠森森花鳥鳴，煢然孤影路多岐。南柯大夢猶未醒，心休蠅利蝸名棄。(2014.11.28)

座落南迴公路旁，鄰近楓港的雙流國家森林遊樂區，名氣似乎不很響亮，好像也被大多數人忘了，以致來訪遊客不太多。園區內大多是亞熱帶森林，以雙流瀑布著稱。周遭安謐，只聞花香鳥鳴和溪水淙淙與蕭蕭風聲。事實上，的確可以來此一遊的，一個人也很好玩呢。徜徉山林小徑，盡得寧靜與孤寂之樂，兼可練練腳力。

帽子山標高650公尺，步道長2.6公里，為園區四條步道中相對難度較高的。

想起這句話：「我們不能靠活得更久擊敗死神，我們是靠活得豐富，快樂擊敗它。」－Randy Pausch

二、松風山步道冬遊偶趣

紅香飄零清客詠，蟻聚蜂屯閒雲輕。陶然忘機松風來，倚欄漫漫野鶴情。（2014.12.02）

惠蓀林場松風山步道健行登高。天氣早涼了，楓葉墜落滿山徑，雲霧飄渺褻青山。松風山步道全長2.5公里，緩坡易走，可以俯視曲折蜿蜒的北港溪谷，遙望險峻嶔崎的凌雲斷崖。

惠蓀林場，除了松風山步道外，尚有杜鵑嶺、青蛙石、山嵐小徑與森林浴（湯公碑）四條步道。這些步道中，就屬森林浴（湯公碑）步道最具挑戰性，因為長達7.5公里，又是陡坡吃力。其餘步道皆長僅2公里多一點，很適合一般人自在優雅地緩行健走。

三、後灣萬里的豔遇

浩渺雲天波瀾闊，弱蔓蔦蘿幸有託。灣里裙礁神鬼斧，飄轉蓬萍快活過。（2014.12.12 ）

登里龍山不成，乃遊墾丁半島車城的後灣、恆春的萬里桐。

臨海的安靜小漁村，接海之處是一大片珊瑚裙礁，或許您也可以找到因渦蝕而形成的壺穴奇景。後灣靠近國立海洋生物博物館，萬里桐則是有悠活度假村而知名。

海博館附近路旁，有一不顯眼、少有人知的「龜山步道」入口。拾階而上，約20分鐘即可登其頂（海拔僅72公尺左右），風景絕佳，蔚藍海岸，美麗誘人。還有，廢棄的軍事碉堡，可供憑弔呢。此地夕陽之美，絕不遜盛名在外的關山日落。更何況停車、入園都不收費啊！

由後灣經萬里至後壁湖的海岸公路邐迤南下，乾淨寬敞少有人車且傍山丘依大海，景色宜人，駕車其上心曠神怡。間亦有優雅細緻的沙灘，碧海藍天是弄潮人兒的天堂。「水動而慰情」，值得您玩之再三。

補記

一、日落？「地心說」在風行1500年後，被「地動說」推翻。太陽這個天體已被確認是一團恆定不動的火球（一顆球型發光電漿體），它才是宇宙的中心，動的是地球。那麼哪來的日落或者日出啊？法國哲學家莫里斯・梅洛－龐蒂（1908-1961）說過：「為了認識世界，我們必須打破對它已有的認知。」（見英國DK出版社，《哲學百科》，康婧譯，日月文化出版）目睹眼見不為真，道聽塗說不為假，不疑處有疑，有時我們不要忘了「換位思考」！

補記

二、因名廚阿基師之「遇」，一時有感草擬〈人生16遇〉戲文：「外遇不是巧遇，艷遇不是偶遇，禮遇不是機遇，奇遇不是相遇，優遇不是隨遇，厚遇不是待遇，幸遇不是良遇。總之，人生各有際遇，都要能夠隨遇而安最重要了。」首句「外遇不是巧遇」，源變自2014年12月10日阿基師在記者會的「10句經典語錄」之一：「不是外遇，只是巧遇」。

四、鹿林前山夢未央

煙霏霧集白日暮，鹿麟逶迤通幽處。林巒蕭森雜風雨，青雲不墜志可度。(2014.12.18)

遊塔塔加，是日山上變得寒風料峭，陰雨綿綿，路滑難行，手足都凍僵了。來到麟趾山望著可能近在咫尺的鹿林前山天文台，心中有著失落和遺憾，因為，慕名已久啊。

麟趾山海拔2,854公尺，路況很好，視野極佳。可以眺望玉山前峰，玉山主峰與似隱若現於主峰後的玉山西峰。以前某一次的造訪，走在山徑上，第一次邂逅，後來查看導覽折頁才知道是叫做金翼白眉（又名「玉山噪鶥」或「台灣噪眉」）的小鳥，棕褐色的身體，臉頰的白色眉線及顎線很耀眼。常被人戲稱「高山的麻雀」或「憨鳥」，牠真的不怕人類呢。

鹿林前山天文台，是國立中央大學在1999年設立的，海拔2862公尺，目前由該校天文研究所負責管理。

補記

過了很久才知道，該天文台還擔任支援其他科學領域的任務。怪不得另一次的登山健行，我們遇到說是成功大學物理系的一位教授，遠從台南駕車至鹿林前山登山口，承告是來掛放儀器，他的研究精神，教人肅然起敬了。還有，某次也碰見到二－三位老師帶著一群臺北來的高中生，說是要夜宿天文台呢。

五、明潭迷雲霧，大地罩雨寒

雲天暗沉濛明潭，浪濤奔逐盪樓船。曲徑幽邃聽葉落，浮生隨波樂忘年。（2014.12.27）

是日氣象不佳，天色暗沉，風風雨雨。倚坐在「雲品」前的環潭棧道上，看著葉落浪拍岸，四時景致千變萬化，各有風情。宋・歐陽修（1007-1072）〈醉翁亭記〉裡有一句話：「朝而往，暮而歸，四時之景不同，而樂亦無窮也。」朝暮萬態，以之形容明潭實也允當之至啊。

從雲品至文武廟有一條少有人走的步道—內湖山步道，不需30分鐘即可走完，一路鬱鬱蔥蔥，步道地板有鏤刻或浮雕特有植物昆蟲解說。如果在雲品用完午餐，走走這條步道到文武廟，然後下年梯，從中接環湖步道回到雲品，是很棒的午后「山靜松聲遠，秋清泉氣香」的山水健行了。

➲年梯：文武廟前方有長方形石頭階梯直下潭邊涼亭，名曰：「年梯」步道，總共有366階，因很陡直又稱「通天梯」，來回一趟也需要有相當的腳力才行。您可就您的生日，下到其上鐫刻有月日和當天出生的中外偉人大名的階梯，看看是誰跟您同月同日來到這個世界上的。如果能萌發「有為者亦若是」的豪氣，當也是意外收穫了。有趣的是，明潭有這麼一座奇特的年梯步道，我周遭很多的南投朋友都還嘸宰羊呢。

六、晴空下的合歡山

一碧如洗繞群山，氣凌宵漢高飛雁。就日瞻雲澹我慮，軟紅十丈失合歡。(2015.01.02)

是日天氣極佳，偕哲偉，哲聖，武男，曉蕙，栢峰，文英，立齊和晶如等愜意快登合歡東峰，路程稍長（1056公尺）亦陡，耗時也費氣力。也登合歡尖山（來回全程僅505公尺，但極為陡峭，有需攀繩爬岩的路段，很刺激呢，它不屬百岳。是地理專家認定的冰斗峰，又稱「角峰」）和石門山（步道長度784公尺。走在中央山脈稜線上，山徑平緩就像野外踏青一樣輕鬆）。爬完馬路旁的三座超過3,200公尺的高山，竟沒人喊累呢。

大姊及文秀在松雪樓倚窗遠眺壯麗山巒，或欣賞形形色色的登山客，亦是一樂也。「山靜而養性」，這是紅塵萬丈的都市難以

給予的。

補記

合歡山周遭，是每年五、六月高山（玉山、紅毛）杜鵑與高山薔薇盛開時的賞花聖地，常見人車雜沓路為之塞。讓人難以想像這麼遠、這麼高又冷的地方怎會引來那麼多的逐花之客？也許，自己跑一趟才知其吸引力所在了！

七、希臘羅馬神祇翩然降臨

月老紅繩希拉亞，繆思蕩漾摩詰畫。呼雷喚雨宙斯狂，三清玉皇今在哪？（2015.01.10）

奇美博物館2015年元旦正式開始營運以來，觀者如織。館外的白色奧林帕斯石橋，跨越波光粼粼、如詩如畫的繆思湖，恰似玉虹臥波婉約壯麗，橋欄上的12尊希臘羅馬神祇（奧林帕斯的12主神）如宙斯、希拉（在羅馬神話稱：朱諾。眾神之后，婚姻家庭女神）雕塑栩栩如生，巍然矗立碧空下。默默地訴說祂們各自精彩的「神話」，深深吸引凡人駐足抬頭，凝望遐思。此刻，不禁想問，東方的神祇哪兒去了呢？

補記

羅馬神話乃是接承模仿希臘神話而來的，因此這些相對應的神祇都各有名字，例如天神、衆神之王、奧林帕斯的主

補記

宰宙斯（Ζεύς（*Zeus*）），祂是天空、天氣、雷電、法律、秩序和命運之神，在羅馬神話稱朱彼特（Jupiter）。繆思（希臘語 Μουσαι、拉丁語 Muses）是希臘神話主司藝術與科學的九位古老文藝女神的總稱，繆思非指單一神祇，也不是奧林帕斯的12主神之一。

三清玉皇，指道教的神祇玉皇上帝（又稱昊天玉皇上帝，天地的主宰，俗稱天公伯）和三清（最高神，即玉清元始天尊、上清靈寶天尊、太清道德天尊，是道家哲學三一學說的象徵。三一學說，指的是，老子《道德經》裡面的「道生一，一生二，二生三，三生萬物，萬物負陰而包陽，沖氣以為和。」）。有一本書寫得不錯呢，林金郎《神靈台灣‧親近神明的小百科》，柿子文化出版（2018.09）。

八、惠蓀林場湯公碑

巍然孤闃湯公碑，逆旅過客草木悲。生命不朽立言先，咳唾成珠舍我誰？（2015.01.12）

偕哲偉穿越蔥郁樹林、崎嶇小徑，氣喘吁吁登臨湯公碑。此座尖錐式的白色水泥碑素樸孤單，碑題：「湯故校長惠蓀逝世紀念碑」（小篆體），碑左署名「劉道元（按，接任的校長）敬題　五十六年十（以下的字已脫落，難以辨識）」。此一步道遙遠（7.5公里）又陡峭，頗具難度呢。是日至此，力量已耗用很多且時間不

許，展望小出山前程又是漫長難走，雲深不知處，也就放棄了。

大姊與文秀則是沿著林間小路，從渡假山莊途經大草原走至簸仔店，沐浴於芬多精之中，而緋紅似火的山櫻花，更也是賞心悅目，想必是一趟靈魂美麗暢快之旅了。

補記

海拔1,302公尺的湯公碑，位於中興大學校長湯惠蓀（1900-1966）因公殉職之處，立於民國56年，紀念其生前的貢獻。經由此碑，可登爬小出山（海拔1,709公尺）。原稱能高林場，亦以他之名改名為惠蓀林場，讓人追憶緬懷。為該校之四個實驗林場之一，面積7,477公頃。海拔自450公尺至2,419公尺具備了亞熱帶、溫帶氣候等不同的氣候特色，一座五彩繽紛的自然教室。

九、山嵐小徑酣暢遊

徯徑蒽蒽遠山寂，寒櫻緋紅鵜鴂啼。屯街塞巷溪頭外，閒雲空谷惠蓀裡。(2015.01.22)

溪頭盛名累，人聲雜沓，摩肩接踵，就如人間鬧市，未若惠蓀像煞清純玉女不施脂粉，自然幽美清淨，當是天上仙境了。惠蓀林場山嵐小徑起自咖啡學堂，止於巨松台（瞭望台旁有巨大高聳的二葉松，視野遼闊），僅2.4公里。冬季時此處是賞鳥的最好地點，據告有五色鳥、灰喉山椒鳥、畫眉鳥與赤腹山雀等。小徑旁可見二葉松，五葉松，徑上鋪滿厚厚枯黃松針（含有大量油脂與木質素，因此要注意火種，以免引起火災），走在上面猶如踏地毯而行，但上下坡小心不要滑跤呢。當天，看到我認識的白鶺鴒，羽毛黑白相間顯得高雅，個頭小小的，機靈地在小溪旁的地面走動，飛行時會發出唧唧、唧唧聲。

補記

林場的珍鳥甚多，最具代表性的是台灣藍鵲。後來有一次，很幸運巧遇牠們在校友會館前球場旁的樹梢停駐，然後展翅飛翔，不禁被牠美麗的身影所吸引，為之神往！此外，來說說二葉松吧，根據奧萬大國家森林遊樂區內松林區的一個告示牌〈二葉松的永恆〉，指出它是臺灣特有品種，二葉松的落葉乃是兩針一束，反觀五葉松的落葉則是離散的。牌上引了一首詩：「勸君莫贈紅玫瑰，花凋瓣落各自飛。勸君贈我二葉松，從此生死兩相隨。」（作者待查）譬喻巧妙貼切，很有意思呢。

十、互助國小梅花落盡

臘梅落盡滿山紅，薰風和暢萬物榮。弱草微塵傷何似？浮雲朝露轉頭空。（2015.01.29）

通往惠蓀林場路上的仁愛鄉互助村互助國小，附近的彭家梅園是絕佳賞梅花的私密景點。本以為還可趕上梅花燦開，那知來遲了，此時已是綠果滿樹。幸而，艷紅櫻花和粉紅杜鵑花接替上

場，李花桃花也含苞待放。此時，最是五彩繽紛的美好季節，讓人目不暇給了。杜鵑花有一段可歌可泣的傳說，它也稱滿山紅。弱草微塵，典出〈微塵棲弱草〉比喻人生短促，猶如浮雲朝露般，剎那就消失無蹤。

補記

從國姓鄉往仁愛鄉惠蓀林場路上，會經過著名的糯米橋以及原住民泰雅族部落：清流、中原和眉原。互助國小（地處互助村中原部落）是前述三部落境內唯一所小學，互助村還有一處西伯（賽德克族語意，指「山上」）梅園也是賞梅的好地方。清流部落所在地又稱川中島，是霧社事件殘餘賽德克族德克達雅語群的棲身之地，此地也是值得造訪耶。傳統上，賽德克族被視為泰雅族的亞族。泰雅族，就人數而言，僅次於阿美族及排灣族，為台灣原住民族中的第三大族。

十一、棗子，早春之子

春暖乍寒入棗園，果脆汁甜盡垂涎。夙寤晨興喜有成，笑語盈盈話明年。(2015.02.05)

棗子成熟時，也表示春節快到了。拜訪台南南化呂家莊園，全家胼手胝足，慷慨和樂，親密無間，令人印象深刻。在他們的果園，我享盡穿梭仰頭摘蜜果、邁步俯身拔野菜之樂。園主文祥伉儷也不厭其詳解說棗事，增我許多見識，為之樂而忘返。行行盡是學問，吾誠然不如老農矣、吾誠然不如老圃矣。果農是靠天吃飯的子民，不能有颱風肆虐，太冷或太熱，也不許霪雨綿綿。他們希望的是，年年風調雨順啊。

補記

南化的「金光山厚德紫竹寺」居高臨下，建築宏偉，香火鼎盛，遊客不絕。寺後有烏山健行步道，走在稜線上，一路獼猴甚多喔。來玩吧！

十二、鹿林前山天文台

宇宙膨脹天地長，蒼穹渾渾神秘藏。地球在動傅柯擺，伽牛愛金萬世揚。(2015.02.12)

天氣好，終於來到中央大學的鹿林天文台前，可惜鐵門深鎖，只能遙望。塔塔加上東埔到鹿林前山天文台，清新空氣中滿滿活力，是一條很愉快美麗的高山健行步道。

➲傅柯擺（Foucault pendulum），根據法國物理學家尚・伯納・里昂・傅科（Jean Bernard Léon Foucault, 1819-1868）之名命名。透過傅科擺，史上第一次證明地球在自轉。它在許多科學博物館和大學內是很受歡迎的展品。

➲伽牛愛金=伽利略+牛頓+愛因斯坦+霍金。霍金不幸於2018年3月14日辭世，享年76歲。至此，伽牛愛金四人都不在人世了。

補記

在臺灣近百年來的天文發展史上，鹿林天文台締造了許多的首度紀錄：發現小行星、發現超新星、發現彗星、發現近地小行星、小行星永久命名。最近的小行星永久命名例子，是該天文台特將所發現的編號第281561號小行星命名為Taitung（臺東），另編號第278986號小行星命名為Chenshuchu（陳樹菊），以表彰顯「最美星空」（臺東是臺灣絕佳觀星地點）及「最美人心」（單身的她，捐錢逾千萬元行善）的意涵，經國際天文學聯合會（IAU/CSBN）通過。2018年9月5日，由該校校長周景揚將命名證書致贈臺東縣政府和陳樹菊女士。詳見〈天文台發現小行星　命名陳樹菊〉，聯合報（B南臺灣焦點，2018.09.04）。

十三、南臺灣最高的山

蠶叢鳥道路難行，繩攀索附里龍登。空山魑魅喜人過，那堪低頭當狗熊。(2015.02.27)

里龍山是屏東楓港溪以南的最高山，標高1,069公尺，列小百岳之一。在頂上，長著一顆巨大的赭色圓石頭，擁有絕佳視野風光旖旎的三角點。最好是中午前到達山頂，否則風興雲蒸，恐礙了眼界呢。它雖長僅4公里，但崎嶇難行，尤以後1.5公里為最，落差達402公尺，且腳底下是盤根錯節的小徑，無疑是體力極大的挑戰，因此磁吸眾多健腳再三登臨。今天，我獨自一人帶著登山杖、乾糧和水壺，汗濕衣衫終於登上山頂。以後，在友朋之前大可吹噓一番了。另按，「魑魅喜人過」語出唐・杜甫〈天末懷李白〉。

補記

同年11月11日，再偕同劉校長、鄭主任伉儷登此山。有「牛媽媽」美稱的劉校長身手矯健體力佳，因敬老之故故意落在我後頭，逼得我老牛破車拚命趕。而馬拉松賽路跑高手鄭主任一路呵護著嬌妻，鶼鰈情深令人稱羨。耗了些時間，大家都克服困難終於登頂了。彼此擊掌以慶，很讚！的確，它是一座可以大大鍛鍊腳力和意志力的美麗山頭。

十四、乾涸的日月潭

一樣陽光兩樣情，粼粼碧波九蛙鳴。翹首雲霓頻頻催，天公不語淚先崩。（2015.03.12）

全臺水情嚴峻，明潭淤洲浮見上棲飛鳥，此或是詩人眼中的「鶴汀鳧渚」，但缺水的現象令人怵目驚心。如今，原本沉浸水下的九隻青蛙全都露，牠們看到難得看到的晴空萬里了。我們為了看九隻青蛙，於是找到「水蛙頭步道」尋訪九蛙去了，木板步道兩旁景色滿不錯的也。只是，老天不語（雨）愁煞人了。

如果您是想尋訪明潭的進水口，看看日月湧泉，那就請駕臨「大竹湖步道」吧。讀讀告示牌，您就會知道夾著泥沙的渾水是

打從哪兒來的？它是日月潭的命脈呢。親臨一趟吧！

十五、No.50的讌飲遊

杯盤狼藉雞黍香，沽酒喚茶滋味長。五十讀寫夢蝶愁，山野逍遙笙歌狂。（2015.03.30）

喜樹圖書館臉書〈網誌〉50篇完成，五姝一少爺一老翁歡聚潮坊。之後，遊美濃鍾理和文學紀念館、一貫道天台山神威道場和旗山孔廟。遺憾，新威森林公園施工中，封園。天台山神威道場的宏偉壯觀，金碧輝煌，佔地廣袤，景色優美，就國內的宗教聖地而言，恐無出其右的，的確是讓人印象深刻。

十六、劍竹與冷杉的地盤爭奪戰

杳杳奇萊孤雲籠，處處劍竹冷杉嶸。攻城野戰豈畏難？稱孤道寡春秋夢！（2016.11.21）

松雪樓（海拔3150公尺）前的告示牌上說，在合歡山的草原，劍竹與冷杉持續默默進行著地盤爭奪戰。是的，於一大片黃澄澄的劍竹草原，我們會看到傲然聳立的一叢叢黑色冷杉間雜其中。那麼到底是誰是強者？誰的版圖擴大了呢？叩問信長居士，他說，各得其所，各安其分。大哉答！我？

補記

松雪樓下方，鄰近滑雪山莊的一堵石牆上鐫刻著斗大的「奇萊山登山口」。黑色奇萊山在登山界赫赫有名，發生過令人痛心的山難。我輩凡人，可以輕裝走到1.4公里處的小奇萊，耗時頂多40分鐘。走這一段上上下下、景觀迭變的羊腸小徑，會讓您有非常多的精采體驗。下次到合歡山玩，千萬不要忘了小而美的小奇萊喔。

感謝辭

承蒙李大師轂摩惠賜題字與素描，深感榮幸，謹致萬分謝意。李大師揚名甚早，兼擅書與畫，為藝壇一絕。負有盛望，譽滿中外。他的書畫超然絕俗，蘊藉有致，貼近人生，寓含深意，誠可謂「木鐸起而千里應，席珍流而萬世響」。為人平易謙沖，樂善好施，雅士風範，更是令人敬仰景從。

非常謝謝三位大人，撥冗惠賜擲地作金石聲之序文，為拙作添增光采：台南市張副市長紹源〈緣溪行，忘路之遠近，忽逢桃花林—身心靈的導讀〉、虎山實小林校長勇成〈感謝林大哥帶給孩子們閱讀的童夢森林〉和南區公所人文課鄭課長淑花〈春風化雨潤無聲　縱情書海樂忘憂〉。他（她）們三位在各自的職場卓然有成，翹楚亦楷模，深孚眾望，為引領風潮的典範人物。他（她）們的溢美之詞愧不敢當，他（她）們的直諒多聞教人感仰。

在此，要特別恭喜紹源兄榮膺重寄，甫於今年七月吉日榮任台南市副市長，擔起輔弼大任，忝在知交深覺有與榮焉，替他高興。紹源兄負不羈之材，年紀甚輕即出任地方財政局長，博雅通識且外文曉暢稱才子。當銜命從公，殫謀充裕府庫穩健財政，支援凡百庶政造福地方，早已口碑載道；逢業餘閒暇，酷嗜閱讀工詩文，下筆千言倚馬可待，向為朋

儕欽服。秉性志慮忠純，有謂「柱石之臣，宜居輔弼」，不作第二人想。再次恭喜、祝福他了

九十七學年，我們自南投縣開始「偏鄉小校千里送好書」。李會長青瑾策畫，偕同蔡信長居士、李玉玲老師、柯科長國貞，姚秘書淵清等探訪偏鄉小校，以「林鶴亭先生紀念基金&黃舜華老師樂學基金」名義贈新書、捐助學金暨捐款家扶中心。同時，感謝台南市立圖書館幫著選好書並特設「青少年專區」典藏我們逐月的贈書。就此，陸續拜識了不少菁英碩彥，殊覺慶幸。此外，跟著也揭開了「買書、贈書、借書、讀書」的「四書生活」序幕。感謝他們，讓我的生命轉了個大彎。

澎湖縣花嶼國小朱校長劍忠兄曾留言：「澎湖偏鄉各校近年陸續接受黃舜華老師樂學基金贈書，其擴散效應，相信定能在孩子學習的一畝方田裡，播種結實！」朱校長年輕飽學，堅苦卓絕，不屈不撓，治校有方，他把一所不足十位學生的最最最離島的小小小小學，治理得有聲有色，真教人敬佩了。

台南市南區公所區長朱 棟、人文課鄭課長淑花、喜樹圖書館：劉館長碧珍、陳秀華小姐、張佳琦小姐、林素琴小姐、陳美玲小姐、許盈瀅小姐、林怡秀小姐與葉治豪先生，還有讓我印象深刻一家子都是愛書人的：郭秀珠小姐、黃怡

臻與黃翊翔兩位小朋友，以及裕文圖書館戴明美小姐。她（他）們除了善待珍愛贈書之外，更也在臉書網誌【遇見好書 愛上閱讀】專欄，付出相當大的愛心關注與支持，謝謝囉。幸好，我也沒有辜負她（他）們的期許—完成了另一個五十篇的寫作！

南投縣千秋國小陳校長秀玲博士，台南市虎山國小校長劉國昌與鄭主任榮慶、虎山實小林校長勇成博士，蔡信長居士，蔡副總秋桂，李鈺鏡小姐，周康妮小姐，姚秘書淵清，王淑洚小姐，吳佳蓉小姐等，在我寫作期間毫無間歇地加油打氣，甚者在【遇見好書 愛上閱讀】專欄按了101次讚。其中，性平講座陳校長秀玲留言：「最後一里路，加油！」鄭主任榮慶留言：「行百里者半九十，加油！」深怕我半途落跑，賢伉儷還兩次饗以甘美多腴的爐烤牛排，盛情可感呢。謝謝他們諸位的善心和鼓勵了。

舍姪旭廷也說：「這本類似小說導讀的大作（按，指《就這麼有品 看小說》），的確讓我可以在比較短的時間內接觸不同主題的小說。期待六叔的續集早日付梓成書。也真要為您的心志加油按讚了。」謝謝他的溫馨支持了。

衷心謝謝舍姊林惠娟女士，多年來的愛護。四代同堂，耄耋之年，猶是耳聰目明，思路清楚，博聞強記，健康硬朗，值得舉觴稱慶並祝百歲連綿。就像是母親，她不時前後照顧，噓寒問暖，關懷備至，或厚遺珍羞或邀遊勝景。親情的沾濡，似給蒼白的臉龐上了彩妝，變得心情愉快氣色紅潤，令人感戴不盡。

高雄麗文圖書出版社編輯行政經理李麗娟小姐，費心勞神安排編輯事宜，讓拙作順利漂亮面世。這次是她經手的第四本書，謹再三致謝。

對了，還要感謝一尊神祇—鼓歌大神。「上窮碧落下黃泉，動手動腳找東西（資料）」，靠的就是祂！

最後，特別深深感謝我的家人—悲傷追思逝者，喜樂想望生者。